BIEN\

Londr

Ville sans réel centre, si grande et si décousue, à la pointe de l'avant-garde et pourtant si traditionnelle... Comment Londres pourrait-elle être une capitale comme les autres ? Née double, autour de la City, siège du pouvoir politique, et de Westminster, siège du pouvoir religieux, inséparable de sa Tamise, sur les rives de laquelle veille la légendaire Tour, elle a dû annexer de multiples villages pour s'unifier et s'étendre.

De là, sans doute, cette prédilection urbaine à prendre autant ses aises, cet amour pour les *greens*, jardins de charme ou immenses poumons verts, où l'on trottine à cheval, et où l'on écoute du Shakespeare sous les arbres. De là aussi ce puzzle de quartiers aux identités fortes, aux populations cosmopolites, solennels ou bouillonnants : Saint James's et ses institutions, ses prestigieux musées de peinture ; le West End et ses music-halls, où règne la fêtarde Soho ; Chelsea et ses demeures d'écrivains, non loin du fantasque Notting Hill ; et ces anciens faubourgs devenus des fiefs de la branchitude, tels qu'Islington ou Clerkenwell, l'East End, et les bords de la Tamise, reconvertis en laboratoire de l'art contemporain.

Londres affectionne ses usages hors du temps, hommes de loi en perruque, protocole royal, uniformes pour enfants chez Harrods ou pubs sans âge. Mais Londres, c'est aussi une mode, une scène ou un genre toujours en avance sur le continent, à capter sur un marché de fripes, devant une vitrine de créateur, dans un bar à concerts, ou sur le dance-floor vibrant d'un night-club... Avec Cartoville, la ville s'ouvre à vous !

KENWOOD HOUSE

HAMPSTEAD HEATH

CRICKLEWOOD LA

HENDON WAY

A41

A502

EDGWARE ROAD

HAMPSTEAD

KENTISH TOWN ROAD

D

WILLESDEN LANE

BROADWAY SHOOT-UP HILL

ST JOHN'S WOOD

PRIMROSE HILL

A5205

CAMDEN MARKETS

C

E

WELLINGTON HOSPITAL

REGENT'S PARK

EU SW

HARROW ROAD

MAIDA VALE

LITTLE VENICE

E

F

WESTWAY

PADDINGTON

PORTOBELLO ROAD MARKET

WESTWAY

PADDINGTON STATION

MARYLEBONE

WALLACE COLLECTION

WEST

OXFORD

NOTTING HILL ✪

BAYSWATER

BAYSWATER RD

HYDE PARK ✪

MAYFAIR

KENSINGTON GARDENS ✪

SERPENTINE

NATI GA

KENSINGTON PALACE

BUCKINGHAM PALACE

HOLLAND PARK

ROYAL ALBERT HALL

KNIGHTSBRIDGE

WESTMI

KENSINGTON

NATURAL HISTORY MUSEUM

VICTORIA & ALBERT MUSEUM

VICT STAT

SOUTH KENSINGTON

EARL'S COURT

PIML

A

HAMMERSMITH

WEST BROMPTON

CHELSEA

FULHAM PALACE RD

FULHAM RD

A304

FULHAM

BATTERSEA PARK

G

R. THAMES

BATTERSEA

BATTERSEA PARK

HURLINGHAM PARK

A219

PUTNEY HIGH ST

TRINITY ROAD

ST JOHN'S HILL

CL

CLAPHAM CO LONG ROA

CLAPHAM COMMON

CAVENDISH ROAD

0   1   2 km

1/ 100 000 - 1 cm ≈ 1 km

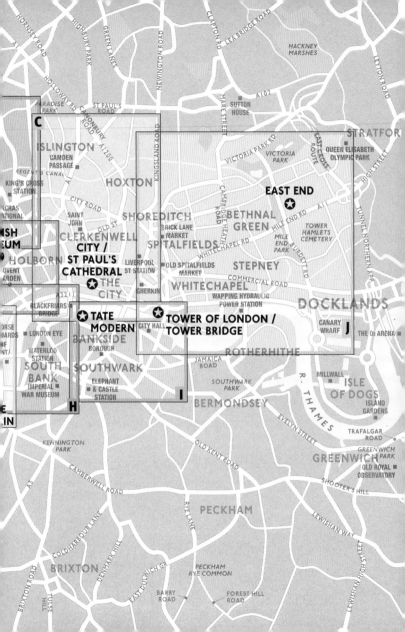

LES PUBS

Passé 23h...

En 1914, une heure de fermeture obligatoire fut instituée pour préserver l'effort de guerre. Aujourd'hui encore, la cloche tinte à 22h50 et on se rue au bar pour une dernière pinte !

Gastropubs

Certains de ces hauts lieux de convivialité font revivre la gastronomie britannique. Recettes du terroir et classiques revisités. À ne pas manquer, le dim. le *sunday roast*, viande cuite au four, légumes rôtis et *Yorkshire pudding* (petit pain spécial).

TERRACES À PRIMROSE HILL

PORTOBELLO ROAD

Taste of London
→ *4 j. london.tastefestivals.com*
La cuisine des plus grands chefs à Regent's Park **(E** C1).

Juillet-août
Wimbledon
→ *Fin juin-déb. juil.*
Tennis. Grand Chelem.

Swan Upping on the Thames
→ *1 sem. en juil.*
Le recensement des cygnes de la Tamise par des rameurs en costume, une tradition vieille de 9 siècles !

Lovebox Festival
→ *2 j. mi-juil.*
loveboxfestival.com
Festival de musique à Victoria Park **(J** D1).

Proms
→ *Mi-juil.-mi-sep.*
www.bbc.co.uk/proms
Concerts classiques au Royal Albert Hall **(G** B1).

Notting Hill Carnival
→ *Dernier w.-e. d'août*
www.thelondon nottinghillcarnival.com

Un grandiose carnaval caribéen, rythmé et coloré, sur Portobello Rd **(F** B2).

Great British Beer Festival
→ *5 j. en août gbbf.org.uk*
Pour goûter toutes les bières artisanales britanniques à l'Olympia **(F** B4).

Septembre-octobre
Totally Thames
→ *Sep. totallythames.org*
Fête de la Tamise : défilé de bateaux, animations, concerts, feux d'artifices...

London Open House
→ *3ᵉ w.-e. de sep.*
Journées du Patrimoine.

London Film Festival
→ *2 sem. en oct.*
www.bfi.org.uk/lff
Au BFI Southbank **(H** B2).

Frieze Art Fair
→ *4 j. en oct. frieze.com/fairs*
Foire d'art contemporain à Regent's Park **(E** C1).

Novembre-décembre
Guy Fawkes Night
→ *5 nov.*

Feux d'artifice célébrant l'échec de la Conspiration des poudres (1605).

London Jazz Festival
→ *10 j. en nov. www. efglondonjazzfestival.org.uk*
Concerts de jazz dans 50 salles de la ville.

Lord Mayor's Show
→ *2ᵉ sam. de nov.*
lordmayorsshow.london
Procession solennelle pour l'élection du "Lord Mayor".

Christmas Lights & Trees
→ *Mi nov.-6 jan.*
La ville étincelle ! Sapin géant sur Trafalgar Square **(A** C1).

Boxing Day
→ *26 déc.*
Début des soldes. Foot et rugby dans les pubs !

ARGENT

Change
1£ = 1,10€.

Carte bancaire
Acceptée partout. Taxes sur les retraits et les paiements.

ARCHITECTURE

Style gothique
Entre le XIIᵉ et le XVIᵉ s., emploi accru de vitraux et de sculptures, pour un gothique "orné".
Westminster Abbey (A D3)

Style Tudor
Entre 1485 et 1603, hautes voûtes en éventail pour les églises, briques rouges et arcs surbaissés ou colombages à la mode flamande pour les demeures et les palais.
Lady Chapel, Westminster Abbey (A D3)

Style baroque
Aux XVIIᵉ et XVIIIᵉ s., période marquée par le Grand Incendie de 1666, un baroque tout en retenue, malgré de riches décorations, où excella sir Christopher Wren.
St Paul's Cathedral (C B6)

Style georgien
Entre 1714 et 1830, des bâtiments réguliers et symétriques aux nobles façades à colonnades à l'antique. **Belgrave Square (G** E1)

Époque victorienne
Entre 1837 et 1901, adieu à la blancheur georgienne et retour à la brique rouge avec le "Gothic Revival".
Houses of Parliament (A D3). À l'ère industrielle naissent de vastes structures en métal.
Leadenhall Market (C D6)

Londres contemporain
Reconstruction effrénée de la ville après le Blitz : logements en béton. La fin du XXᵉ s. et le début du XXIᵉ s. voient fleurir le style high-tech. **30 St Mary Axe (C** D5**), 20 Fenchurch Street (C** D6**), The Shard (I** D2)

CARTE DE VISITE

■ Capitale
du Royaume-Uni
■ 1 572 km²
■ 8,7 millions d'hab.
■ 31,5 millions
de visiteurs par an
■ Fleuve : la Tamise

TAILLES ET ÉLECTRICITÉ

Tailles
■ Vêtements F : 10 = 38 ;
12 = 40 ; 14 = 42 ; etc.
■ Vêtements H : 36 = 46 ;
38 = 48 ; 40 = 50 ; etc.
■ Chaussures : 4 = 37 ; 5 =
38 ; 6 = 39 ; 7 = 40 ; etc.
Électricité
Se munir d'un adaptateur
à 3 fiches plates.

LA TAMISE, TOWER BRIDGE ET LES TOURS DE CANARY WHARF VUS DU SHARD

INTERNET

Offices de tourisme
→ www.visitlondon.com
→ www.visitbritain.com
Londres en ligne
→ www.londontown.com
→ www.londonist.com
Wifi
Accès répandu et souvent
gratuit dans les hôtels,
restaurants, pubs…

INFORMATIONS TOURISTIQUES

**City of London
Information Centre
(C** B6)
→ St Paul's Churchyard
Tél. 020 7332 1456 Lun.-sam.
9h30-17h30, dim. 10h-16h
Au pied de la cathédrale
Saint-Paul. Plans, conseils…
Points infos
→ Victoria (**A** A4), Piccadilly
Circus (**B** B4), Holborn
(**B** D3), Liverpool St (**C** D5),
Euston (**D** D3),
King's Cross St Pancras (**D** E3)

TÉLÉPHONE

Indicatifs
France-Londres
→ Fixe 00 44 20
+ n° à 8 chiffres
→ Portable 00 44 + 7 + n° à
9 chiffres
Londres-France
→ 00 33 + n° à 9 chiffres
(sans le o)
Londres-Londres
→ Fixe 020 + n° à 8 chiffres
→ Portable 07 + n° à 9 chiffres
Numéros spéciaux
→ 0870, 0871, 0845…
(joignables directement
avec le 00 44)
Urgences
→ 999 et 112

CALENDRIER

Jours fériés
→ 1ᵉʳ jan., ven. saint, lun. de
Pâques, 1ᵉʳ lun. de mai (Early
May Bank Holiday), dernier lun.
de mai (Spring Bank Holiday) et
d'août (Summer Bank Holiday),
25 déc., 26 déc. (Boxing Day)

Janvier-février
London Parade
→ 1ᵉʳ jan.
Défilé festif du Nouvel An.
Chinese New Year
→ Fin jan.-mi-fév.
Défilés, danses du dragon,
etc. À Trafalgar Square
(**A** C1), Leicester Square
et Chinatown (**B** C4).
London International
Mime Festival
→ 3 sem. fin jan.
www.mimelondon.com
Festival de mime
au Barbican Centre (**C** C5),
à la Tate Modern (**I** A1), etc.
Pancake Day Race
→ Un mar. de fév. ou mars
Pour Mardi Gras, courses
à pied où les athlètes font
sauter des crêpes !
Mars
Saint Patrick
→ 17 mars
L'Irlande à l'honneur :
défilés, théâtre, fanfares.
Boat Race
→ Fin mars-déb. avr.
www.theboatrace.org

Course d'aviron mythique
Oxford contre Cambridge.
Avril-mai
London Marathon
→ Un dim. d'avr.
Env. 30 000 coureurs !
State Opening of
Parliament
→ Mai ou juin
Visite de la reine à
Westminster pour l'ouvert[ure]
de l'année parlementaire.
Chelsea Flower Show
→ 3ᵉ ou 4ᵉ sem. de mai
www.rhs.org.uk
Floralies au Royal Hospita[l]
(**G** E3).
Museums at Night
→ Mai et oct.
La nuit des musées.
Clerkenwell Design We[ek]
→ 3 j. fin mai www.
clerkenwelldesignweek.com
Déco et design dans
80 showrooms et les rues
de Clerkenwell (**C** A4).
Juin
Trooping the Colour
→ Sam. proche de la mi-juin
Anniversaire de la reine.

Les incontournables

Les 10 lieux de visite à ne manquer sous aucun prétexte !

⭐ National Gallery (A C1)

Plus de 2 000 œuvres, pour une vision unique de l'art européen ! Dans son palais néoclassique (1838), la Galerie nationale dévoile des joyaux de la peinture : d'aile en aile, on navigue entre le XIIIe s. et le XIXe s., des primitifs italiens aux impressionnistes français, en passant par les maîtres nordiques ou espagnols, et les satires de Hogarth (1697-1764). À proximité, la National Portrait Gallery expose les Britanniques depuis Henri VII (1485-1509).

⭐ Westminster (A D3)

Image même de Londres, le Parlement, avec le cadran de Big Ben, et l'abbaye toute proche résument l'histoire du Royaume-Uni ! Le premier, peint à diverses heures du jour par Claude Monet, fut bâti sur le site du palais royal du XIe s. La seconde, que l'écrivain Paul Morand décrit comme un "fantôme blanc, dressé sur la Cité fumeuse", est le lieu de couronnement et de sépulture royaux depuis Guillaume le Conquérant. Handel, Dickens, Kipling... entre autres grands hommes y reposent.

⭐ Relève de la garde à Buckingham Palace (A A3)

Si ce rituel paraît banal aux Anglais, les visiteurs, eux, en sont friands ! À travers les grilles de Buckingham Palace, résidence royale, la foule observe le défilé réglé au millimètre des *guards*, vêtus de leur tunique rouge et de leur bonnet de poil d'ours. De 11h à 11h45, passation entre deux régiments, l'un arrivant et l'autre repartant au son d'une fanfare. Attention, relève un jour sur deux entre août et mars.

⭐ Tate Britain (A D5) et Tate Modern (I A1)

La Tate Gallery, née en 1897 grâce au magnat et mécène du même nom, remplit enfin sa vocation : mieux exposer son énorme fonds de peinture anglaise et d'art moderne et contemporain. Aménagée en l'an 2000 par Herzog & de Meuron dans une ancienne centrale électrique, agrandie de façon spectaculaire en 2016, la Tate Modern triomphe dans le second rôle ; tandis que sur Millbank, le bâtiment d'origine, rebaptisé Tate Britain, est désormais voué à l'école nationale, dont 300 toiles de Turner (1775-1851). Un bateau, *Tate to Tate*, relie les deux sites.

⭐ British Museum (B C2)

Égypte, Moyen-Orient, Grèce et Rome antiques, arts premiers... il faudrait bien une semaine, dit-on, pour visiter ce vertigineux musée, dont les huit millions d'objets balaient les civilisations de tous les continents ! Il fut créé en 1753, à partir des collections du médecin Hans Sloane (1660-1753), et son fonds s'enrichit si prodigieusement qu'il a engendré deux autres institutions : le Natural History Museum (G B2) en 1881, et la British Library (D E3) en 1973.

⭐ City et St Paul's Cathedral (C B6)

La City, quartier financier, est aussi le berceau de la capitale, ses limites étant celles de la Londinium romaine fondée au Ier s. Si elle compte aujourd'hui plus de businessmen que d'habitants, nombre d'églises anciennes y subsistent. Et notamment la cathédrale Saint-Paul, chef-d'œuvre de C. Wren (1632-1723) et siège des grandes cérémonies ! Tout autour, le XXIe s. ne cesse d'ajouter des gratte-ciel aux tendres surnoms ("Cornichon", "Râpe à fromage"...), signés Norman Foster, Richard Rogers...

⭐ Hyde Park (E B6) et Kensington Gardens (F E3)

À peine séparés par l'étang de la Serpentine, ces deux parcs mitoyens réunissent environ 250 ha de verdure en plein centre-ville. Aux marcheurs donc de les arpenter d'un bout à l'autre ! Lieu de détente institué, immense, Hyde Park fait le bonheur des grands et des petits depuis son ouverture au public par Charles Ier (1625-1649). À l'ouest du plan d'eau se déploient les jardins de Kensington, intimes et ordonnés, écrin d'un manoir royal signé Wren.

⭐ Notting Hill (F B2)

Impossible d'ignorer ce quartier chic et coloré, cosmopolite depuis les années 1950 en raison de l'arrivée d'immigrants caribéens. Né au XIXe s. sur de riants vallons, il fut aménagé en banlieue cossue, offrant à ses habitants confort et verdure avec de spacieuses demeures, agencées autour d'un jardin commun. Chaque année au mois d'août, déferle ici un carnaval digne de Rio de Janeiro.

⭐ Tower of London / Tower Bridge (I E1-F1)

Tout en labyrinthes et chemins de ronde, la Tour, forteresse fondée au XIe s., fut le théâtre de tant d'horreurs qu'elle attisa la curiosité dès le règne de Victoria (1837-1901). Elle reste indissociable de Tower Bridge, pont basculant (fin XIXe s.), au vertigineux plancher de verre !

⭐ East End (J)

Autrefois quartier industriel pauvre et surpeuplé, et plus récemment épicentre de la communauté indienne, l'East End est devenu au fil du temps l'endroit le plus *hype* de la capitale. Artistes et jeunes gens aux looks déjantés s'y croisent au milieu d'anciennes usines réhabilitées, où centres culturels et boutiques concepts ont fleuri. Le week-end, c'est la destination phare des oiseaux de nuit !

RELÈVE DE LA GARDE

BRITISH MUSEUM

HYDE PARK

WESTMINSTER

Bienvenue à Londres !

RCHÉS DE L'EAST END

MILLENIUM BRIDGE ET SAINT PAUL'S CATHEDRAL

ets de spectacles
jour de -25 à -50 %.

HOPPING

must à Londres ! Soldes
iver à partir du 26 déc.,
d'été fin juin-déb. juil.
iceries fines
utiques à l'ancienne
rayons chez Harrods
D1) et Selfridges (**E** C4).
archés
mentation
rough Market (**I** C2)
pe et brocante
Spitalfields Market
A3), Portobello Road
rket (**F** C2), Brick Lane
rket (**J** B2) (*dim. 10h-17h*),
ticoat Lane Market sur
ddlesex St (**J** A3) (*dim. 9h-
, lun.-ven. 8h-14h30*).
ode
eries vintage
magasins de luxe
ur l'ultra tendance !
lon les quartiers...
ands magasins sur Oxford
Regent St (**B** A3),

streetwear dans Soho (**B**),
mode chic autour de
Brompton Rd et sur King's
Rd (**G** A4-E2), gothique à
Camden (**D**) et avant-garde
à Shoreditch (**J**), Dover St
(**A** A1), Columbia Rd
et Brick Lane (**J** B2-B3).
Disquaires
Nombreux à Soho (**B**),
Camden (**D**) et Notting Hill
(**F**). Musiques éclectiques,
vinyles et CD d'occasion.

LONDRES
AUTREMENT

En bateau
MBNA Thames Clippers
→ *Tlj. 6h-23h env.*
www.thamesclippers.com
Les bateaux-bus de Londres
(River Bus). Plusieurs lignes
entre la station de métro
Putney (hors plan **G** A4)
et Greenwich.
Tate to Tate
→ *Millbank/Bankside*
Tél. 020 7887 8888 *Tlj. 10h-17h*
Tate Britain-Tate Modern.

À pied
London Walks
→ *Tél. 020 7624 3978*
www.walks.com
Visites guidées sur les
traces des Beatles, de Jack
l'Éventreur, de Harry Potter...

SPORTS

Une douzaine d'équipes de
football ! Chelsea, Arsenal,
Tottenham, West Ham...
Wembley Stadium
→ *www.wembleystadium.com*
Matchs de l'équipe
nationale de football.
Twickenham Stadium
→ *Whitton Rd www.
englandrugby.com/twickenham*
Le temple du rugby.
Lord's (**E** A1)
→ *St John's Wood Rd*
www.lords.org
Cricket.
Wimbledon Greyhound
Stadium
→ *Plough Lane*
www.lovethedogs.co.uk
Courses de lévriers.

Quartiers à suivre...
Hackney
L'exode des artistes
pousse toujours plus
vers l'est : *concept stores*
sur Hackney Road (**J** B1),
tandis qu'on fait la fête
dans la friche industrielle
de Queen's Yard
(*Overground Hackney
Wick*). **Crate Bar and
Pizzeria** (hors plan **J** F1).
Peckham Rye
→ → *Overground
Peckham Rye www.
southlondongallery.org*
Dans le sud de la ville,
un quartier prometteur :
boutiques et cafés
sur Bellenden Rd
et Peckham Rd, et la
South London Gallery,
qui fait éclore les talents.
Marchés de l'East
End
Les marchés de l'East
End renaissent ! Festival
de couleurs et de saveurs
au **Broadway Market**
à Hackney (**J** B1)
(*sam. 9h-17h, Overground
London Fields*) ou au
**Columbia Road Flower
Market** (**J** B2).
Au restaurant
sans réservation
Nombreux sont
les restaurants
qui ne prennent
pas de réservation,
mais organisent la file
d'attente à leur porte.
On se croirait à l'arrêt
de bus ! **Bao** (**B** B4).
Cinéma
sous les étoiles
→ *www.rooftopfilmclub.com*
L'été, les toits de Hoxton,
Stratford, Kensington ou
Peckham se transforment
en cinémas à ciel ouvert :
transats et couvertures
pour les nuits fraîches.

REGENT'S CANAL TOWPATH

LITTLE VENICE

REGENT'S CANAL TOWPATH

On s'imagine presque à la campagne sur cet insolite "chemin de halage" (*towpath*), idéal pour une balade à pied ou à vélo ! L'occasion de traverser Little Venice, Regent's Park, Camden Town et Granary Square jusqu'au quartier de Limehouse et son point de vue sur les buildings de Canary Wharf, sans voir la couleur du métro !

Jason's Trip

→ *www.jasons.co.uk*
En bateau sur Regent's Canal, de Little Venice à Camden.

Budget

Hébergement
Chambre double en centre-ville (avec sdb) : 90-120£.

Restauration
Fish & chips : 7-13£.
Plat dans un restaurant standard : 12-20£.

Visites
Musée, expos : gratuit-15£.
Attractions, monuments : 15-30£.

Sorties
Pinte : 4£ ; cocktail : 8-12£ ; concert, club : 6-20£.

Réductions
Carte d'étudiant internationale
→ *www.isic.fr*
London Pass
→ *www.londonpass.fr* 59 à 159£ pour 1 à 10 j. (enfants 39-109£), ou 72-212£ (enfants 45-162£) avec option transports illimités
Gratuité pour 56 sites et réductions.
Eurostar "2 for 1"
2 entrées pour le prix d'1 dans plusieurs expositions, avec un billet Eurostar.

Pourboire
Restaurants : souvent inclus dans la note (12,5 %).
Taxis : arrondir la somme.

HORAIRES

Magasins
→ *En général, lun.-sam. 9h-18h (22h grands magasins), dim. 12h-18h*

Musées
→ *En général, tlj. 10h-18h*
Dernières entrées env. 1h avant la fermeture

Sorties
Restaurants
→ *En général, 12h-15h, 18h-22h30 (dernière commande)*
Pubs/Bars
→ *Tlj. 11h-23h (22h dim.)*
Clubs
→ *En général, fermeture à 3h en semaine, 6h le w.-e.*

SE RESTAURER

On mange très bien à Londres... si on ne regarde pas à la dépense !

"Pre-theatre" menus
Menu à prix doux en début de soirée (18h-20h env.).

Pubs et gastropubs
Restaurant ou bar ? Frontière parfois floue, en fonction de l'heure de la journée.
Pubs : petits plats roboratifs et abordables (*pie & mash*).
Gastropubs : cuisine plus élaborée.

Spécialités
English Breakfast : bacon, saucisse, *baked beans*, légumes, œufs brouillés ou pochés et toast ; *Fish & chips* : poisson frit et frites servis dans un cornet en papier ; *Mushy peas* : purée de petits pois ; *Toad in the hole* : saucisses cuites au four dans de la pâte ; *Black pudding* : boudin noir ; *Shepherd's pie* : sorte de hachis parmentier ; *Pie & mash* : tourte au bœuf, servie avec de la *gravy* (sauce à la viande) et de la purée de pommes de terre ;

Pimm's : cocktail à base de limonade et de gin "épicé" et garni de concombre, fruits et menthe fraîche.

SORTIES

Londres la nuit
Palmarès impressionnant de concerts et de soirées, avec une tradition rock bien ancrée ! Vie nocturne intense dans Soho (**B**), Notting Hill (**F**), Camden (**D**) et East End (**J**). Certains bars se convertissent la nuit en salle de concert. Entrée souvent payante et sélection parfois rigoureuse.

Programmes
Time Out
→ *Mar. Gratuit*
Evening Standard
→ *Lun.-ven.*

Billetteries
→ *www.ticketmaster.co.uk*
Spectacles, sports, etc.
TKTS (B C4)
→ *Leicester Sq. Lun.-sam. 10h-19h, dim. 11h-16h30*

HORSE GUARDS

BUCKINGHAM PALACE

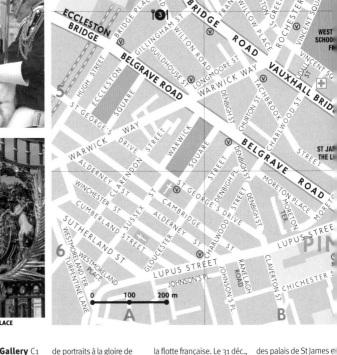

VICTORIA STATION

ECCLESTON BRIDGE
GILLINGHAM ST
BRIDGE PLACE
BRIDGE ROAD
FRANCIS ST
WILLOW PLACE
STILLINGTON ST
GREENCOAT PL
ROCHESTER
VINCENT SQUARE
WEST SCHOO FI

HUGH STREET
ECCLESTON
BELGRAVE ROAD
WILTON ROAD
GUILDHOUSE ST
LONGMOORE ST
WARWICK WAY
TACHBROOK ST
CHURTON ST
CHARLWOOD ST
VAUXHALL BRID
VINCENT SQ

ST GEORGE'S SQUARE
WARWICK
DENBIGH ST
BELGRAVE ROAD
ST JA
THE L

WARWICK DRIVE STREET
ALDERNEY
WINCHESTER ST
CLARENDON ST
SQUARE
ST GEORGE'S DRIVE
DENBIGH ST
DENBIGH PL
STREET
MORETON PLACE
MORETON

CUMBERLAND ST
CAMBRIDGE ST
ALDERNEY ST
CHARLWOOD ST
LUPUS STREE
PIN

SUTHERLAND STREET
SUSSEX ST
GLOUCESTER
ST
LUPUS STREET
CLAVERTON S
CHICHESTER S

WESTMORELAND TER
TURPENTINE LANE
WESTMORELAND PLACE
JOHNSON'S PL
RANELAGH ROAD
JOHNSON'S PL

0   100   200 m

A   B

★ **National Gallery** C1
→ *Trafalgar Sq.*
Tél. 020 7747 2885
Tlj. 10h-18h (21h ven.)
Une des plus riches
collections au monde
de tableaux de maîtres
européens (XIIIᵉ-XIXᵉ s.).
Parmi les plus célèbres, la
Pentecôte de Giotto, le *Jules II*
de Raphaël, *Les Époux
Arnolfini* de Van Eyck,
la *Dame debout à l'épinette*
de Vermeer, *Les Tournesols*
de Van Gogh...

★ **National Portrait
Gallery** C1
→ *St Martin's Pl.*
Tél. 020 7306 0055
Tlj. 10h-18h (21h jeu.-ven.)
Une étourdissante galerie

de portraits à la gloire de
ceux qui ont fait l'histoire
du pays, de Thomas More
aux actuels Windsor,
en passant par le littéraire et
politique Kit-Cat Club. À voir,
l'un des portraits les plus
connus de Shakespeare.

★ **Trafalgar Square /
Nelson's Column** C1
Au centre de la célèbre
esplanade conçue en
1829 par John Nash (1752-
1835), quatre lions
encadrent l'imposante
colonne (1842) dédiée à
l'amiral Nelson (1758-1805).
Les bas-reliefs ornant son
socle sont faits du bronze
des canons saisis lors
des victoires de l'amiral sur

la flotte française. Le 31 déc.,
la foule se masse sous
l'immense sapin offert par
la Norvège, pour attendre
le 12ᵉ coup de minuit ;
le reste du temps, des
artistes de rue divertissent
touristes et badauds au pied
des escaliers menant
à la National Gallery.

★ **Horse Guards** D2
→ *Whitehall*
Relève Tlj. 11h (10h dim.)
Quatre sentinelles
imperturbables, juchées sur
de superbes montures et
portant le casque à aigrette
blanche, montent la garde
devant Horse Guards, le
quartier général des gardes
royaux, entrée historique

des palais de St James e
Buckingham. Le spectac
attire bien des curieux :
animation à son comble
lors de la relève du mati
À observer de l'esplana
côté St James's Park.

★ **Buckingham
Palace** A3
→ *Tél. 0303 123 7300*
*Août : tlj. 9h30-19h30 ;
sep. : tlj. 9h15-18h30 Relèv
11h30 (août-mars : 1 j. sur 2
Royal Mews Fév.-mars,
nov. : lun.-sam. 10h-16h ;
avr.-oct. : tlj. 10h-17h*
Depuis que la reine Vict
y emménagea en 1837,
ce palais à l'austère faça
reste la résidence des
souverains britanniques

A

VICTORIA
GHAM

ASHLEY PL
AMBROSE AVENUE

HOWICK PLACE

VICTORIA STREET

ARTILLERY ROW

G

VICTORIA STREET

ALLINGTON ST

EATON LANE

PALACE ST

VICTORIA SQUARE

10

BRESSENDEN PLACE

Cardinal Place

KINGSGATE STREET

CASTLE LANE

PALACE ST

WESTMINSTER CHAPEL

WILFRED ST

CAXTON

VANDON STREET

CATHERINE PLACE

STAFFORD PL

ROYAL MEWS

ROAD

BUCKINGHAM GATE

FRANC

PETTY

PALMER ST

BUCKINGHAM PL

WELLINGTON BARRACKS

QUEEN'S GALLERY ★

3

BIRDCAGE WALK

SPUR RD

BUCKINGHAM PALACE ★

QUEEN VICTORIA MEMORIAL

CONSTITUTION HILL

THE MALL

THE

GREEN PARK

2

LANCASTER HOUSE

STABLE YARD ROAD

CLEVELAND ROW

SAINT JAMES'S PALACE

MARLBOROUGH ROAD

MARLBOROUGH HOUSE

THE BREAD WALK

QUEEN'S WALK

PALL MA

JA

PALL

SOUA

MARLBOROUGH ROW

JAMES'S STREET

PASSAGE

KING STREET

ST JAMES'S PLACE

GREEN PARK

QUEEN'S WALK

PICCADILLY

HALF MOON STREET

BERKELEY SQUARE GARDENS

9

18

ST JAMES'S ST

BURY ST

ARLINGTON STREET

SNYDER ST

DUKE ST ST JAMES'S

KING STREET

ST JAMES'S ST

CLARGES ST

BOLTON ST

QUEEN ST

STRATTON ST

ST JAMES'S

YORK STREET

JERMYN STREET

17

14

PICCADILLY

15

16

SACKVILLE STREET

SWALLOW STREET

OLD BOND ST

DUKE STREET

ALBEMARLE STREET

DOVER STREET

BERKELEY STREET

ROYAL ACADEMY OF ARTS / BURLINGTON HOUSE

ARCHITECTURE

Piccadilly Circ
Plc

A

B

NATIONAL PORTRAIT GALLERY

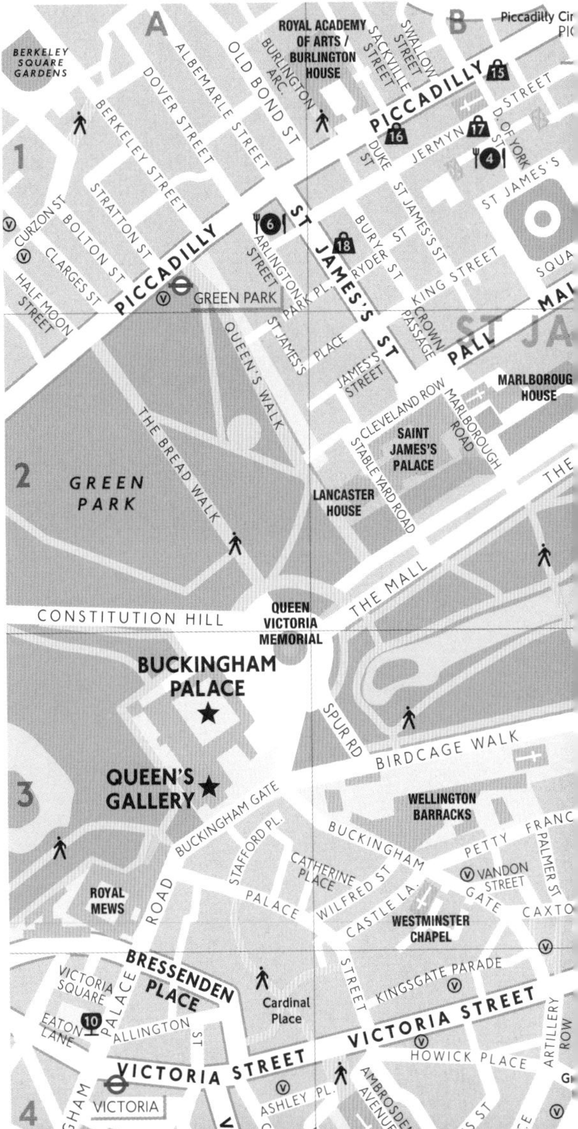

NATIONAL GALLERY

Trafalgar Square ouvre sur deux majestueuses avenues, The Mall et Whitehall, le long desquelles s'égrènent les symboles du pouvoir politique et religieux : résidence royale de Buckingham, ministères, Parlement, où résonne Big Ben, et Westminster Abbey. La frivolité a aussi droit de cité, avec les boutiques pour hommes de Jermyn Street. Passé Victoria Tower Gardens, des petites rues bordées de façades du XVIIIe s. serpentent autour de Smith Square. Plus au sud, on pénètre dans des quartiers résidentiels construits en grande partie à l'ère victorienne. Leur calme s'évanouit à l'approche de Victoria Station.

REGENCY CAFÉ

GORDON'S WINE BAR

RESTAURANTS

Regency Café C4 1
→ *14 Regency St*
Tél. 020 7821 6596
Lun.-ven. 7h-14h30, 16h-19h30 ; sam. 7h-12h
La file s'allonge, mais tout le monde trouvera place dans cette grande salle claire inchangée depuis 50 ans. Pour un petit déjeuner *british* chaleureux et populaire entouré d'habitués, une *chicken pie* ou une part de tarte accompagnée d'une boule de glace. Plat 3,50£.

Cellarium Café D3 2
→ *20 Dean's Yard*
Tél. 020 7222 0516
Lun.-ven. 8h-18h (21h mer.), sam. 9h-17h, dim. 10h-16h
Traverser le cloître de l'abbaye de Westminster et pénétrer dans la belle cave gothique (l'ancien cellier), pour de bons petits déjeuners, des salades créatives... Plat 7-14£.

Giraffe A5 3
→ *120 Wilton Road*
Tél. 020 7233 8303
Lun.-ven. 8h-23h, w.-e. 9h-23h (22h30 dim.)
Assiettes de mezze, croques, burgers au bœuf ou aux falafels, épis de maïs grillés... dans un décor plein de peps. Plat 10-16£.

Al Duca B1 4
→ *4-5 Duke of York St*
Tél. 020 7839 3090 Lun.-sam. 12h (12h30 sam.)-23h
Linguine aux palourdes, bar grillé, pâtes maison et desserts fruités, une cuisine italienne fine et inventive dans une salle aux tons sable et brique. Menu 13-19,50£.

The National Dining Rooms C1 5
→ *National Gallery, Sainsbury Wing Tél. 020 7747 2525*
Tlj. 10h-17h30 (20h30 ven.)
À la National Gallery, on déguste sous une fresque Renaissance, avec vue sur Trafalgar Square, une gastronomie anglaise de bonne tenue : huîtres de Cornouaille, rognons braisés, soupe aux coques... Juste à côté, deux agréables cafétérias : National Café et Espresso Bar. Plat 16-20£.

The Wolseley A1 6
→ *160 Piccadilly*
Tél. 020 7499 6996 Lun.-ven. 7h-oh, sam. 8h-oh (23h)
Un "Grand Café" glamour et sélect installé dans un somptueux bâtiment de 1921. Carte de brasserie à la fois britannique et française : œuf Bénédicte, fruits de mer, choucroute, coq au vin... Aussi *breakfast* et *afternoon tea*. Plat 16-25£.

TIGER

FORTNUM & MASON

JERMYN STREET / TURNBULL & ASSER

CAFÉ, CENTRE ARTISTIQUE

Inn The Park C2 7
→ St James's Park
Tél. 020 7451 9999
Lun.-ven. 8h-2oh,
w.-e. 9h-2oh (16h30 dim.)
Une grande cabane en bois, aux jolies rondeurs, pour profiter en toute saison du parc bucolique de St James et de la vue sur le lac, le temps d'une tasse de thé ou d'un en-cas. Grande terrasse couverte.

Institute of Contemporary Arts / ICA C1 8
→ The Mall Tél. 020 7930 3647
Café Bar Mar.-dim. 11h-23h
Expositions Mar.-dim. 11h-18h
(21h jeu.) Librairie
Mar.-dim. 11h-21h
Un lieu insolite, à la fois galerie et cinéma, rendez-vous depuis 1948 de l'avant-garde britannique. Films underground ou classiques, spectacles, conférences et un bar lumineux.

BARS, CLUBS

Gordon's Wine Bar D1 9
→ 47 Villiers St
Tél. 020 7930 1408 Lun.-sam.
11h-23h, dim. 12h-22h
Enfoui dans les tréfonds d'une cave, un bar à vins

plus que centenaire, où le brouhaha tient lieu de musique et les bouteilles de décor. Cent crus à déguster dans une grotte éclairée à la bougie ou dehors sur la terrasse, face aux Embankment Gardens.

Tiles A4 10
→ 36 Buckingham Palace
Road Tél. 020 7834 7761
Lun.-ven. 12h-15h, 17h30-22h
À deux pas du fracas de Victoria Station, un bar à vins chaleureux, havre de paix où il fait bon trinquer sur les quelques sofas moelleux du sous-sol.

Cinnamon Club C4 11
→ 30-32 Great Smith St
Tél. 020 7222 2555
Bars Tlj. horaires variables
Restaurant Lun.-ven. 7h30-9h45, 12h-14h45, 18h-22h45 ; sam. 12h-14h45, 18h-22h45 ; dim. 12h-14h45, 17h30-20h45
Derrière la porte de l'ancienne bibliothèque de Westminster : les deux bars d'un restaurant indien de renom, pour siroter lassis et cocktails épicés. Rayons couverts de livres au rdc et projections de vieux films indiens au sous-sol.

Tiger Tiger C1 12
→ 29 Haymarket
Tél. 020 7930 1885
Tlj. 12h-3h (oh dim.)
Trois niveaux, un enchevêtrement d'escaliers et de couloirs

reliant un restaurant, trois bars et deux dance-floors. Calme et aéré le jour, Tiger Tiger bat le soir au rythme échevelé des nuits londoniennes.

Heaven D1 13
→ The Arches, Villiers St
Tél. 0844 847 2351
Club Lun., jeu.-ven. 23h-5h30 (4h jeu.-ven.) ; sam. 22h-5h Concerts à partir de 19h
Juste sous la voie ferrée de Charing Cross : drag queens, serveurs au torse nu et gogo dancers, pour un grand rendez-vous des nuits gays. Ouvert à tous les technophiles !

SHOPPING

Dover Street Market C1 14
→ 18-22 Haymarket (entrée sur Orange St) Tél. 020 7518 0680
Lun.-sam. 11h-19h, dim. 12h-18h
Le fascinant "marché" avant-gardiste de Rei Kawakubo, repaire de stylistes et de créateurs de mode ! Vêtements et accessoires pour hommes et femmes sur cinq étages.

Waterstone's B1 15
→ 203-206 Piccadilly
Tél. 020 7851 2400 Lun.-sam.
9h-22h, dim. 12h30-18h30
On se croirait dans une bibliothèque... Il s'agit pourtant d'une librairie, remplie de fauteuils

et de canapés. Monter au 5th View Bar !

Fortnum & Mason B1 16
→ 181 Piccadilly
Tél. 020 7734 8040 Lun.-sam.
10h-21h, dim. 11h30-18h
Joliment exposés sous les lustres, thés, chutneys, shortbreads, marmelades et autres mets exquis perpétuent l'excellence de cette maison tricentenaire. Salon de thé et restaurants.

Jermyn Street B1 17
La rue des boutiques pour hommes chic !

Turnbull & Asser
→ 71-72 Jermyn St
Tél. 020 7808 3138
Prêt-à-porter haut de gamme.

Floris
→ 89 Jermyn St
Tél. 020 7747 3612
Parfumeur depuis 1730.

St James's St 18
Dans le même esprit que Jermyn Street !

Davidoff of London
→ 35 St James's St
Tél. 020 7930 3079
Cigares.

Lobb B2
→ 9 St James's St
Tél. 020 7930 3664
Chausseur, notamment de la famille royale.

Lock & Co B2
→ 6 St James's St
Tél. 020 7930 8874
Le chapelier le plus couru, depuis 1676 !

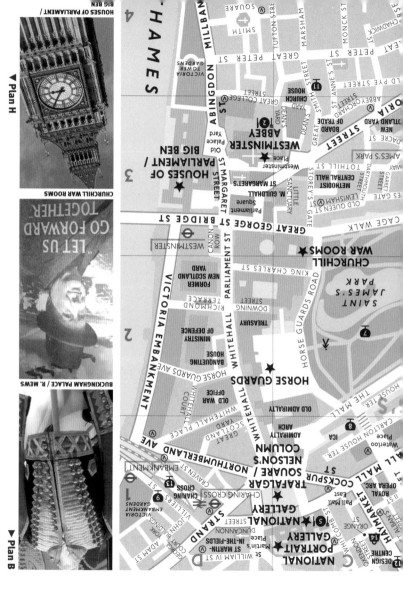

▼ Plan H

HOUSES OF PARLIAMENT / BIG BEN

CHURCHILL WAR ROOMS

BUCKINGHAM PALACE / R. MEWS

▼ Plan B

WESTMINSTER ABBEY

TATE BRITAIN

appartements
ouvrent aux visiteurs
été, la relève
garde attire la foule
l'année. À voir aussi :
curies royales
l Mews), et leur
oyante collection
crosses d'apparat.
ueen's Gallery A3
ckingham Gate
03 123 7301
uil. : tlj. 10h-17h30 ;
ep. : 9h30-17h30
ollections de la
nne sont présentées
ulement dans
enne chapelle royale,
e après 1945 dans
e néoclassique de
Nash. Tableaux

de maîtres, œufs de Fabergé
et mobilier royal français...

★ Churchill War Rooms C3
→ Clive Steps, King Charles St
Tél. 020 7930 6961 Tlj. 9h30-18h
Durant la Seconde Guerre
mondiale, ces caves
abritaient le QG de
Churchill ! Reconstitution
fidèle de la vie dans l'abri,
suivie d'une exposition
high-tech où l'on suit
la guerre de près.

★ Houses of Parliament / Big Ben D3
→ St Margaret St
Tél. 020 7219 4114 Fermé
pour travaux jusqu'en 2020
En haut de la plus grande
tour, Big Ben, l'horloge

la plus célèbre du monde,
au timbre légendaire.
À l'ombre de la Clock Tower,
le Parlement, cœur de la vie
politique britannique, mire
sa silhouette néogothique
dans les eaux de la Tamise.
Accès aux débats lorsque
siègent les chambres.

★ Westminster Abbey D3
→ 20 Dean's Yard
Tél. 020 7222 5152
Lun.-sam. 9h30-15h30
(18h mer. ; 13h30 sam.)
Le plus bel édifice religieux
de Londres, chef-d'œuvre du
gothique flamboyant.
Sa haute voûte nervurée
accueille les cérémonies
de la Monarchie, tandis que

l'une des chapelles conserve
le trône du couronnement.
L'abbatiale sert de nécropole
aux plus grands hommes
du pays, enterrés
ou commémorés ici.
Le reliquaire du plus illustre
de tous, le saint roi Édouard
le Confesseur (1042-1066),
repose dans une chapelle.

★ Tate Britain D5
→ Millbank Tél. 020 7887 8888
Tlj. 10h-18h
Dédoublée en l'an 2000, la
Tate Gallery a laissé à la Tate
Britain la peinture anglaise :
Hogarth, Gainsborough,
Reynolds, les préraphaélites,
le romantique William Blake
et la somptueuse collection
Turner (huiles, aquarelles).

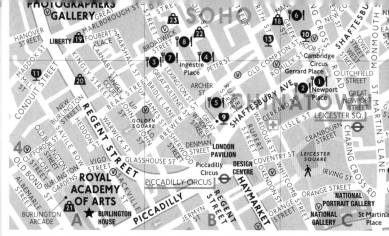

LONDON TRANSPORT MUSEUM

COVENT GARDEN

★ **British Museum** C2
→ *Great Russell St*
Tél. 020 7323 8299
Tlj. 10h-17h30 (20h30 ven.)
Fondé en 1753, le fabuleux musée d'archéologie et d'ethnologie est l'un des plus riches au monde, avec ses 8 millions d'objets couvrant toutes les civilisations, dont la *Pierre de Rosette* et la frise du Parthénon, matière à bien des controverses. Sublime cour intérieure au toit de métal et de verre (2000), signé Norman Foster.

★ **Sir John Soane's Museum** E3
→ *13 Lincoln's Inn Fields*
Tél. 020 7405 2107

Mar.-sam. 10h-17h Visite à la bougie 1er mar. du mois, 18h-21h (arriver très à l'avance)
Grand architecte et amateur d'art, John Soane (1753-1837) transforma sa maison en un musée sans pareil. Jeux de miroirs et panneaux coulissants dévoilent une collection d'antiquités, de livres et de peintures (Hogarth, Watteau).

★ **Temple** F4
→ *Fleet St et Victoria Embankment (lun.-ven.), Tudor St (tlj.)*
L'ancienne possession des Templiers de 1185 à 1312, comme un enclos dans la ville. Deux des quatre écoles de droit y ont élu domicile dès le XIVe s. Autour de

Middle Temple Lane, un charmant dédale de ruelles, de courettes et de jardinets privés ponctués de statues, et le célèbre Middle Temple Hall où, en 1602, se joua la première de *La Nuit des rois* de Shakespeare. Plus haut, Temple Church, jolie église à rotonde du XIIe s.

★ **Somerset House** E4
→ *Strand Tél. 020 7845 4600*
Environnant une cour agrémentée de jets d'eau en été et d'une patinoire en hiver, le palais néoclassique de William Chambers (1786) abrite un centre expérimental (expos, performances) et deux grands musées.

Courtauld Gallery
→ *Tlj. 10h-18h*
Le fonds rassemblé par l'industriel Samuel Cou (1876-1947), puis enrichi doit sa réputation à ses toiles impressionnistes et postimpressionnistes Pissarro, Manet, Cézan Monet, Renoir, Gaugui Van Gogh, Modigliani... Et rien de moins qu'une *Trinité* de Botticelli, 32 œuvres de Rubens et des toiles de Turner !

Embankment Gallerie
→ *Sam.-mar. 10h-18h ; m ven. 11h-20h Nocturne le je pour certaines expositions*
Art contemporain : des architecture, mode, ph

B

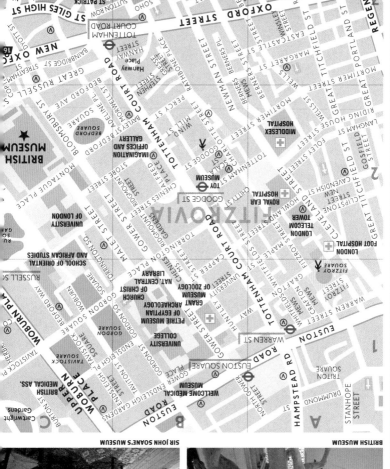

SIR JOHN SOANE'S MUSEUM

BRITISH MUSEUM

Entre Piccadilly Circus et Covent Garden règne tout au long de la journée une activité trépidante. Le jour, ce sont les boutiques chics de Regent Street et les grandes enseignes d'Oxford et de Carnaby Streets qui donnent le ton. Le soir, les théâtres drainent les amateurs de comédies musicales et d'opéra. La nuit, Soho la cosmopolite offre sa multitude de restaurants, de pubs, de bars gays et de sex-shops. Plus au nord, les rues s'assagissent. La studieuse Bloomsbury, avec son riche passé littéraire et l'université de Londres pour emblème, incarne le savoir, et Holborn, avec ses collèges d'avocats, la justice.

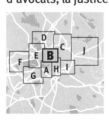

SPUNTINO

YAUATCHA

RESTAURANTS

Chinatown B4-C4
Le quartier chinois et ses rangées de restaurants.
New World C4 ¶❶|
→ 1 Gerrard Pl.
Tél. 020 7734 0677 Tlj. 11h-0h
Chariots de *dim sum* (11h-16h30) et autres spécialités cantonaises.
Four Seasons C4 ¶❷|
→ 12 Gerrard St
Tél. 020 7494 0870
Lun.-sam. 12h-23h30
(0h ven.-sam.), dim. 11h-23h
Savoureux canard laqué.
Bao B4 ¶❸|
→ 53 Lexington St
Lun.-ven. 12h-15h, 17h30-22h ;
sam. 12h-22h
On rentre au compte-gouttes dans ce véritable temple du *bao*, un délicieux petit *bun* taïwanais à la vapeur, saupoudré de cacahuètes et fourré au porc braisé. *Bun* 5-6£.
Polpetto B3 ¶❹|
→ 11 Berwick St
Tél. 020 7439 8627 Lun.-sam.
11h30-23h, dim. 12h-22h30
Des petits plats vénitiens pour se régaler : courgettes frites, boulettes de risotto, seiche à l'encre, osso bucco... Plat 5-9£.
Spuntino B4 ¶❺|
→ 61 Rupert St Tlj. 12h-0h
(1h jeu.-sam. ; 23h dim.)
Si la devanture de ce restaurant tapissé

de carreaux de faïence ébréchés passe inaperçue, la queue le signale ! Un seul comptoir pris d'assaut pour ses salades et ses miniburgers. Plat 5-10£.
10 Greek Street
C3 ¶❻|
→ 10 Greek St
Tél. 020 7734 4677
Lun.-sam. 12h-23h (déjeuner 12h-14h30 ; dîner 17h30-23h)
Le décor semi-minimaliste de cette brasserie s'harmonise avec une cuisine fine et moderne : soupe de patates douces au yaourt, noix de saint-jacques et purée de panais, tarte chocolat-poire-noix de pécan. Tapas en continu. Plat 8-22£.
Andrew Edmunds
B4 ¶❼|
→ 46 Lexington St
Tél. 020 7437 5708 Lun.-sam.
12h-15h30, 17h30-22h45 ;
dim. 13h-16h, 18h-22h30
Dans une petite maison du XVIIIe s., une petite salle, un comptoir et quelques tables. Le menu de saison peut proposer caille rôtie à l'aïoli, os à moelle et oignons doux ou turbot au fenouil braisé. Plat 16£.
Yauatcha B3 ¶❽|
→ 15-17 Broadwick St
Tél. 020 7494 8888
Tlj. 12h-22h (22h30 ven.-sam.)
Sublimes *dim sum* et autres spécialités d'Asie sous

CH   GRENSON   52 GREEK ST

un plafond étoilé, tandis que les poissons tropicaux nagent sur toute la longueur du bar. Plat 16-26£.

GLACIER, SALONS DE THÉ

Gelupo B4 [9]
→ 7 Archer St
Tél. 020 7287 5555
Lun.-sam. 11h-23h (oh ven.-sam.), dim. 12h-23h
Une fameuse *gelateria*, où les parfums des glaces changent tous les mois. Incontournables : ricotta, griottes, vanille-safran...

Maison Bertaux C3 [10]
→ 28 Greek St
Tél. 020 7437 6007 Lun.-sam. 8h30-23h, dim. 9h30-20h
Bienvenue dans la plus ancienne (1871) pâtisserie de Londres ! Gâteaux fondants, tartes gourmandes, thés fins, café glacé, jus de fruits frais...

Sketch A4 [11]
→ 9 Conduit St
Tél. 020 7659 4500 Lun.-sam. 12h30-14h30, 18h30-2h ; dim. 12h30-14h30, 18h-oh
Pas moins de cinq univers au Sketch ! Pour un *afternoon tea* magique, coup de cœur pour The Glade, une forêt enchantée où se lover dans les coussins bleu-vert des

canapés en rotin, et The Gallery, nuage de douceur aux banquettes de velours rose poudré. Réserver. *Cream tea* 10£, *full afternoon tea* 45£.

PUB, CONCERTS, CLUB

Lamb & Flag C4 [12]
→ 33 Rose St
Tél. 020 7497 9504 Lun.-sam. 11h-23h, dim. 12h-22h30
Un pub historique de Covent Garden. Les soirs de beau temps, on se tasse dans la ruelle avec sa pinte ! Nombreux whiskies.

Ronnie Scott's B3 [13]
→ 47 Frith St
Tél. 020 7439 0747 Lun.-sam. 18h-1h (3h ven.-sam.) ; dim. 12h-16h, 18h30-oh
www.ronniescotts.co.uk
De Stan Getz à Kurt Elling, les stars défilent depuis les années 1960 dans ce club mythique du jazz et du blues, aujourd'hui plus éclectique : flamenco, claquettes, sets de DJ...

The Borderline C3 [14]
→ Orange Yard, Manette St
Tél. 020 7734 5547
Mer. 19h-3h (et autres jours si concerts), jeu.-sam. 19h-4h
theborderlinelondon.com
Un des hauts lieux pop-rock de Londres : concerts sur la petite scène puis clubbing à tendance rock.

SHOPPING

Lamb's Conduit Street E2 [15]
Tailleurs chics et *concept stores* tendance pour hommes.

Grenson
→ 40 Lamb's Conduit St
Tél. 020 3689 2970 Lun.-sam. 11h-19h, dim. 12h-17h
Pour une iconique paire de derbies ou de *chelsea boots*.

James Smith & Sons C3 [16]
→ 53 New Oxford St
Tél. 020 7836 4731
Lun.-mar., jeu.-sam. 10h-17h45 (17h15 sam.) ; mer. 10h30-17h45
Derrière une magnifique façade victorienne, vente et réparation de cannes à pommeaux et de parapluies depuis 1830.

Neal Street C3-D3 [17]
La rue des boutiques de chaussures.

52 Greek St B3 [18]
→ 52 Greek St
Tél. 020 7287 4118 Tlj. 11h-18h
Chemises, jupes, robes et t-shirts uniques et accessibles aux couleurs vives et aux imprimés *pop*, 100 % anglais !

Liberty A3 [19]
→ Great Marlborough St
Tél. 020 7734 1234 Lun.-sam. 10h-20h, dim. 12h-18h
Ce grand magasin aux boiseries inspirées du style

Tudor, réputé pour ses tissus, demeure, depuis 1875, à la pointe d'une mode raffinée.

Hamleys A4 [20]
→ 188-196 Regent St
Tél. 020 7494 2000
Lun.-sam. 10h (9h30 sam.)-21h, dim. 12h-18h
Sur sept étages, des jeux et des jouets par milliers.

Burlington Arcade A4 [21]
→ 51 Piccadilly Lun.-sam. 9h-19h30, dim. 11h-18h
Les Beadles, corps de garde en livrée, veillent depuis 1819 sur cette somptueuse galerie de boutiques élégantes : bijoux, cachemires et accessoires de luxe...

Disquaires de Soho
Sounds of the Universe B3 [22]
→ 7 Broadwick St
Tél. 020 7734 3430 Lun.-sam. 10h-19h30, dim. 11h30-17h30
Le disquaire de l'excellent label Soul Jazz ! *New wave*, électro, reggae.

Sister Ray B3 [23]
→ 75 Berwick St
Tél. 020 7734 3297 Lun.-sam. 10h-20h, dim. 12h-18h
Sa célèbre vitrine figure sur la pochette de l'album d'Oasis (*What's the Story*) *Morning Glory ?* En rayon : CD et vinyles neufs et d'occasion. Aussi, au n° 30, Reckless Records.

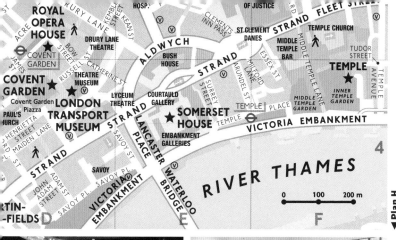

L OPERA HOUSE

THE PHOTOGRAPHERS' GALLERY

**ondon Transport
eum** D4
vent Garden Piazza
20 7379 6344
h (11h ven.)-18h
llé dans l'ancienne
aux fleurs de Covent
en (1871), un musée
ue pour découvrir
oire des transports
mmun londoniens,
er dans un vieux tram
me conduire un métro !
covent Garden D4
din potager du couvent
ndant de l'abbaye de
minster et le marché de
eurs qui occupèrent les
ont beau avoir disparu,
ce dessinée par Inigo
(1631) reste un brin

populaire. Boutiques, stands
d'artisanat, restaurants
et cafés ont envahi l'élégante
galerie à arcades (1832),
halle de fer et de verre.
Royal Opera House D3
→ Tél. 020 7304 4000 (box
office) Visite guidée Sur rés.
Lun.-sam. 10h30-14h30
Durée 1h15
Une salle mythique dite
aussi Covent Garden,
résidence des prestigieux
Royal Ballet et Royal Opera.
Modernisée par Stanton
Williams, elle dévoile une
nouvelle façade vitrée sur
Bow Street et un foyer élargi.
**★ St Martin-in-the-
Fields** C4
→ 8 St Martin's Pl.

Tél. 020 7766 1100
Lun.-mar., jeu.-ven. 8h30-13h,
14h-18h ; mer. 8h30-13h15,
14h-17h ; sam. 9h30-18h ;
dim. 15h30-17h
Église aux allures de temple
classique (James Gibbs,
1726), prisée en dehors
des offices pour ses concerts
gratuits à la mi-journée
et aux chandelles le soir.
**★ Royal Academy
of Arts** A4
→ Burlington House
Tél. 020 7300 8090
Tlj. 10h-18h (22h ven.) Visite
guidée Mar.-dim. 12h Durée 1h
Jadis renommée pour
ses expositions estivales,
l'Académie (1769) ouvre
à présent toute l'année.

À voir, les John Madejski Fine
Rooms, dans leur splendeur
néopalladienne, et les
œuvres de Reynolds,
Gainsborough et Constable.
**★ The Photographers'
Gallery** A3
→ 16-18 Ramillies St
Tél. 020 7087 9300
Tlj. 10h (11h dim.)-18h
(20h jeu. pendant les expos)
La plus importante galerie
londonienne de photo
contemporaine !
Ses expositions présentent
le travail de jeunes talents
et d'artistes reconnus
du monde entier :
Robert Capa, Sebastião
Salgado, Andreas Gursky...
Excellente librairie.

LEADENHALL MARKET

30 ST MARY AXE

C

★ Monument D6
→ *Monument St*
Tél. 020 7626 2717
Oct.-mars : tlj. 9h30-17h30 ;
avr.-sep. : tlj. 9h30-18h
Commémorant le Grand
Incendie, cette grandiose
colonne de 61 m cache
un vertigineux escalier... à
gravir sans faillir pour la vue !

★ St Stephen Walbrook C6
→ *39 Walbrook*
Tél. 020 7626 9000
Lun.-mar., jeu.-ven. 10h-16h
(15h30 ven.) ; mer. 11h-15h
Joyau du baroque anglais
(1680) : sa coupole, portée
par douze colonnes, est
coiffée d'une lanterne dont
la lumière tombe sur l'autel.

★ 20 Fenchurch Street D6
→ *20 Fenchurch St*
Tél. 020 7337 2344
Sky Garden Lun.-ven. 10h-18h,
w.-e. 11h-21h Réservation
obligatoire Visite limitée à 1h
En 2014, lorsqu'il fut achevé,
malheur à qui se garait
au pied du "Walkie Talkie",
gratte-ciel signé Rafael
Viñoly : réfléchissant
la lumière, ses vitres galbées
chauffaient les voitures...
avant que la Ville n'installe
des écrans de protection !
Au 35e étage, vue à 360°
depuis "ses jardins dans le
ciel" (bar) et la terrasse à ciel
ouvert. Aussi une brasserie
et un restaurant chic.

★ Leadenhall Market D6
→ *Gracechurch St*
Marché Lun.-ven. 10h-18h
Sous les six tours du Lloyd's
Building (1986), complexe
d'aluminium érigé par
Richard Rogers, s'étend
Leadenhall Market, halle
victorienne aux arcades
métalliques crème et rouge,
coiffée d'une coupole de
verre. Elle abrite boutiques,
restaurants et un marché
aux fleurs, bijoux
et objets d'art.

★ 30 St Mary Axe D5
→ *30 Saint Mary Axe*
Une œuvre de Norman
Foster (2004), commandée
par la compagnie Swiss Re :

tour de 41 étages, haute
de 180 m, caparaçonné
verre bleu et noir losang
Sa forme d'obus lui a va
la malicieuse appellatio
de "Gherkin" (cornicho

★ Guildhall C5
→ *Gresham St*
Tél. 020 7332 3700
Lun.-sam. 10h-16h30 (et di
mai-sep.) Fermé si événem
The Guidhall Gallery Lun.-s
10h-17h, dim. 12h-16h
Derrière la façade du XV
aux influences gothique
grecque et indienne, ba
le cœur du pouvoir de
la City. À voir, The Great
et The Old Library,
deux sublimes cryptes
médiévales, ainsi que

MONUMENT

ST STEPHEN WALBROOK

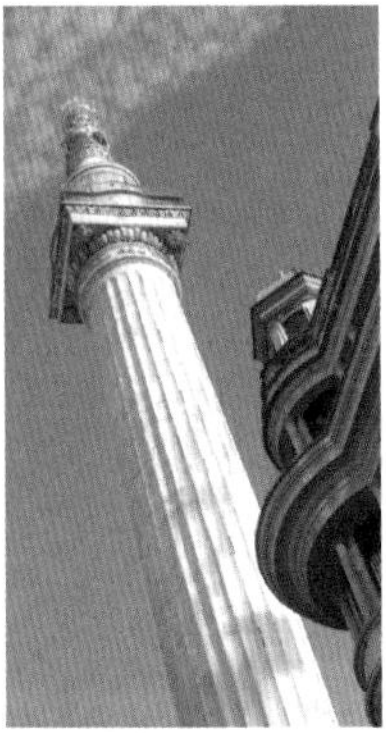

20 FENCHURCH STREET

CALEDONIAN ROAD & BARNSBURY
OFFORD RD
LIVERPOOL RD
COMPTON TERRACE
CANONBURY SQ.
ESTORIC
OF MOD
CANONBURY PL
CANONBURY RD
ALWYN RD
BELITHA VILLAS
BARNSBURY PARK
ISLINGTON PARK ST
THORNHILL RD
BEWDLEY ST
BROOKSBY ST
HUNTINGDON ST
ST ANDREWS CHURCH
LOFTING RD
COLLEGE CROSS
UPPER STREET
BARNSBURY ST
FLORENCE ST
SEBBON ST
HALTON RD
ESSEX R
THORNHILL SQUARE
RIPPLEVALE GROVE
HAWES ST
HEMINGFORD RD
ALMEIDA THEATRE
MILNER PL
CROSS ST
ESSEX ROAD
RICHMOND AVE
ISLINGTON
ST MARY'S CHURCH
BARNARD PARK
CLOUDESLEY RD
THEBERTON ST
GASKIN ST
BRITANNIA
PACKINGTON ST
COPENHAGEN ST
CLOUDESLEY ST
ST ALBAN'S PL
ISLINGTON GREEN
CRUDEN ST
RALEIGH ST
BARNSBURY RD
BROMFIELD ST
CHARLTON PL
SAINT PETER'S ST
COLEBROOKE ROW
DEVONIA RD
RHEIDOL TERRACE
BATCHELOR ST
RITCHIE ST
CAMDEN PASSAGE
ISLINGTON CANAL TUNNEL
WYNFORD RD
ISLINGTON HIGH ST
GERRARD RD
DANBURY ST
DUNCAN ST
NOEL RD
BURGH ST
RODNEY ST
PENTON ST
CHAPEL MARKET
BARON ST
ANGEL
WHITE LION ST
VINCENT TERRACE
DONEGAL ST
DUNCAN TERRACE
ELIA ST
GRAHAM
JOSEPH GRIMALDI PARK
A501
PENTONVILLE RD
SAINT JOHN ST
CLAREMONT SQUARE
MYDDELTON SQUARE
GOSWELL RD
WAKLEY STREET
CITY ROAD
HALL STREET
GREAT PERCY STREET
Percy Circus
AMWELL STREET
RIVER STREET
RAWSTORNE ST
MORELAND ST
WHARTON STREET
FINSBURY
ROSEBERY AVENUE
WYNYATT ST
SPENCER STREET
THE CITY UNIVERSITY
Northampton Square
ST CLEMENT'S
LLOYD BAKER STREET
MARGERY STREET
MYDDELTON STREET
GOSWELL ROAD
LEVER STR
PAKENHAM STREET
CALTHORPE STREET
EXMOUTH MARKET
SPA FIELDS GARDENS
SKINNER ST
PERCIVAL ST
CYRUS ST
SEWARD ST
FARRINGDON RD
NORTHAMPTON ROAD
CORPORATION ROW
AGDON ST
COMPTON ST
PEAR TREE
PINE ST
BOWLING GREEN LA.
DARLINGTON STREET
BASTWICK
GEE ST
GOUGH STREET
PHOENIX PL.
ROSEBERY AVENUE
CLERKENWELL CLOSE
SANS WALK
SEKFORDE ST
WOODBRIDGE ST
BERRY ST
NORTHBURG ST
ST JAMES'S
SAINT JOHN
St John's
GREAT SUTTON ST
MOUNT PLEASANT
WARNER ST
FARRINGDON
GOSWELL

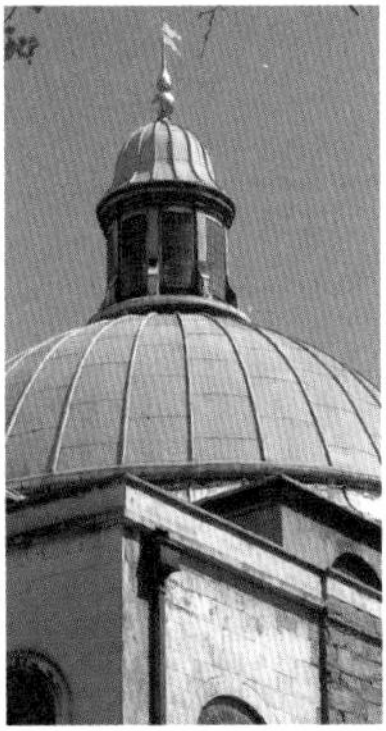

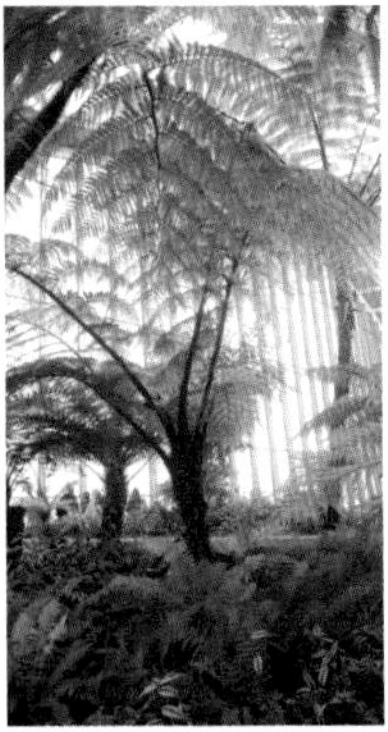

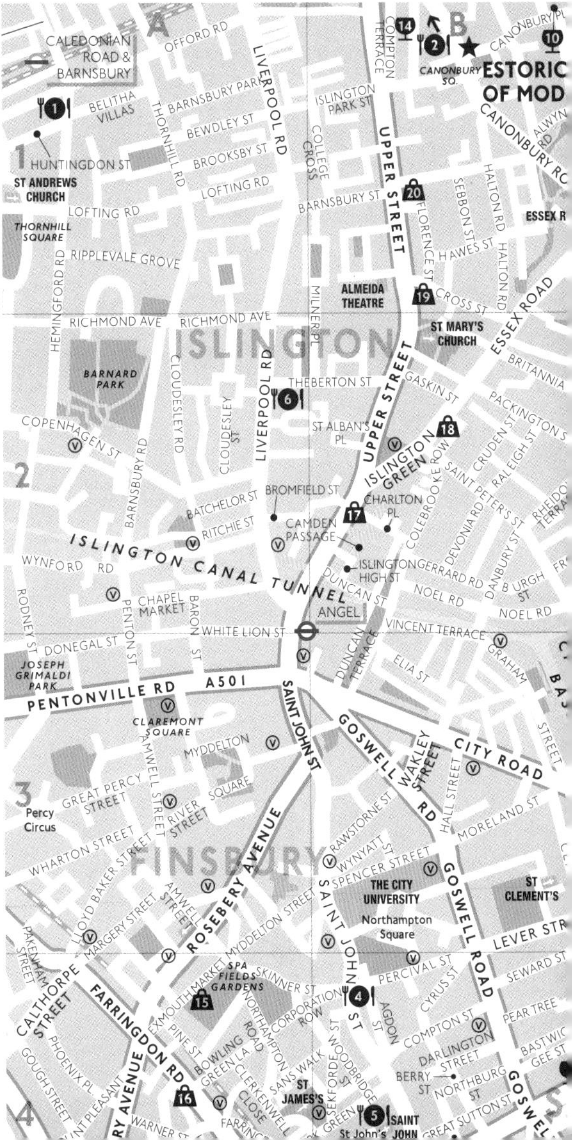

Fantomatique le week-end, la City s'agite en semaine à l'heure de la finance ; on y sent battre le cœur historique de la ville grâce aux vestiges du passé épargnés par le Grand Incendie de 1666 et la Seconde Guerre mondiale. Les gratte-ciel du XXIe s. côtoient de vénérables églises, alors que les traders s'accoudent au comptoir de vieux pubs. Au nord-ouest, Clerkenwell, fief des designers, prend des airs de village à la pause déjeuner quand les créatifs ultra-lookés sortent grignoter à Saint John's Square ou à Exmouth Market. Plus au nord, Upper Street traverse Islington, agréable quartier bobo et conduit au charmant et piéton Camden Passage.

SUNDAY

THE ANTHOLOGIST

RESTAURANTS

Sunday A1 🍴❶
→ 169 Hemingford Road
Tél. 020 7607 3868
Mar.-dim. 8h30-18h
Pile de *pancakes* au sirop d'érable surmontées de bananes caramélisées au petit déjeuner, petits plats frais en journée et délicieux gâteaux maison au goûter. Jardin aux beaux jours. Plat 6-13£.

Trullo hors plan B1 🍴❷
→ 300-302 St Paul's Road
Tél. 020 7226 2733
Lun.-sam. 12h30-14h45, 18h-22h15 ; dim. 12h30-15h
Parquet brut, appliques et nappes blanches agrémentent ce néobistrot italien prisé pour ses pâtes fraîches (*tagliolini* au crabe) et ses viandes cuites à la braise. Plat 8-19£.

The Anthologist C5 🍴❸
→ 58 Gresham St
Tél. 0845 468 0101 Lun.-ven. 7h30-23h (oh jeu.-ven.)
Au milieu des cols blancs de la City, dans une spacieuse salle au design chaleureux, on regarde les cuistots préparer une sélection de plats britanniques simples à base de poisson : *pie*, fish & chips, morue, et tendres steaks. Plat 9-15£.

The Peasant B4 🍴❹
→ 240 St John St
Tél. 020 7336 7726
Pub Tlj. 12h-23h (22h30 dim.)
Restaurant Mar.-sam. 18h-22h30
Au bar de ce gastropub, des petits plats soignés (burger, risotto...) et, au restaurant à l'étage, des assiettes plus élaborées : filet de haddock, gigot au gratin dauphinois, parfait pomme-cannelle... Plat 10-15 (pub)-20£.

The Modern Pantry Café B4 🍴❺
→ 47-48 St John's Sq.
Tél. 020 7553 9210
Lun.-ven. 8h-22h30 (22h lun.), sam. 9h-22h30, dim. 10h-22h
Cuisine insolite et délicate mêlant ingrédients et saveurs rares dans ce charmant café-restaurant aux murs chaulés de blanc, avec une belle terrasse sur la place. Plat 17-20£.

The Pig and Butcher A2 🍴❻
→ 80 Liverpool Road
Tél. 020 7226 8304
Lun.-jeu. 17h-23h (oh jeu.), ven.-dim. 12h-oh (21h dim.)
Viande de premier choix fraîchement débarquée du marché de Smithfield et plats créatifs dans ce pub rustique chic. Excellente sélection de bières belges et de vins du monde entier. Plat 19£.

CANONBURY TAVERN

ABIGAIL AHERN

CLERKENWELL LONDON

CAFÉ, PUBS, CENTRE CULTUREL

Look Mum No Hands ! B4 **7**
→ 49 Old St Tél. 020 7253 1025
Tlj. 7h30 (8h30 sam. ;
9h30 dim.)-22h
Un café pas comme les
autres puisqu'on peut
y faire réparer son vélo,
le temps d'engloutir *cake*
et cappuccino...

The Blackfriar B6 **8**
→ 174 Queen Victoria St
Tél. 020 7236 5474 Lun.-sam.
9h-23h, dim. 12h-22h30
Mosaïques, marbre
polychrome et moinillons
sculptés composent
le cadre Arts & Crafts
(1905) de ce pub cocasse !

The Jerusalem Tavern B4 **9**
→ 55 Britton St
Tél. 020 7490 4281 Lun.-ven.
11h-23h ; dim. 12h-18h Lun.-
ven. 11h-23h, dim. 12h-18h
Devanture un peu effritée
pour ce pub qu'on croirait
georgien : vieux parquet,
banquettes en bois
et bières étonnantes,
dont la *ruby red ale*
ou celle au miel...

The Canonbury Tavern B1 **10**
→ 21 Canonbury Pl.
Tél. 020 7704 2887
Tlj. 11h-23h (23h30 ven.-sam.)
Devant le feu de cheminée,
dans le jardin ou dans

la belle salle à manger
lambrissée, on se sent
partout chez soi dans
ce grand pub intime, un
verre de Pimm's à la main !
Musique *live* le jeudi.

Barbican Centre C5 **11**
→ Silk St Tél. 020 7638 8891
Tlj. 9h (12h dim.)-23h
www.barbican.org.uk
Siège de l'Orchestre
symphonique de Londres,
un centre pluridisciplinaire :
musique, théâtre, danse,
cinéma, arts graphiques...

CONCERTS, CLUBS

Fabric B5 **12**
→ 77a Charterhouse St
Tél. 020 7336 8898 Ven.-dim.
23h-7h (8h sam. ; 5h30 dim.)
www.fabriclondon.com
Un club mythique, écrin
de la fine fleur des DJ
internationaux : drum &
bass, dubstep, tech-
house, électro... Dans
l'une des trois salles, la
piste de danse comprend
un système transmettant
les vibrations des basses
à la foule des clubbers :
une expérience unique !

XOYO D4 **13**
→ 32-37 Cowper St
Tél. 020 7608 2878
Ven.-sam. 21h-4h xoyo.co.uk
Deux étages veinés de
tuyaux apparents et une
programmation éclectique

de mix et de concerts pour
des soirées de haut vol !

Union Chapel B1 **14**
→ 19b Compton Terrace
Tél. 020 7226 1686
www.unionchapel.org.uk
Pour se déhancher sous
des arcades
néogothiques : folk, jazz et
musique tzigane dans une
église encore en activité !

SHOPPING

Exmouth Market A4 **15**
Une rue sans voiture,
prisée pour ses terrasses,
sa ribambelle de petites
boutiques et ses stands
de victuailles du monde
entier (lun.-ven. 12h-15h).

Clerkenwell London A4 **16**
→ 155 Farringdon Road
Tél. 020 3675 8847
Lun.-sam. 10h-18h (19h jeu.-
ven. ; 17h sam.)
Pour découvrir le meilleur
des designers émergents
ou reconnus : sacs vegan
Tinct, imperméables
Stutterheim, délicates
céramiques et sélection
de meubles. Et aussi
un bar et un spa !

Camden Passage B2 **17**
→ *Brocante* Mer.-sam.
9h-18h ; dim. 11h-18h
Un adorable îlot piéton
bordé de jolies boutiques.

Étalages en plein air
les jours de brocante !
Smug
→ 13 Camden Passage
Tél. 020 7354 0253 Jeu., dim.-
mar. 12h-17h (19h jeu.) ; mer.,
ven.-sam. 11h (10h sam.)-18h
Ustensiles aux tons pastel,
carnets, plaids et coussins
graphiques, sous le signe
du minimalisme
scandinave.

Abigail Ahern B2 **18**
→ 12-14 Essex Road
Tél. 020 7354 8181 Lun.-sam.
10h30-18h, dim. 12h-17h
Baroque, la boutique
créée par la prêtresse
de la décoration d'intérieur
britannique regorge, entre
autres, de fleurs et plantes
plus vraies que nature pour
des bouquets éternels !

Dinny Hall B1 **19**
→ 292 Upper St
Tél. 020 7704 1543 Lun.-sam.
10h-18h, dim. 12h-17h
Bijoux aux lignes épurées
réalisés en or et argent,
dont les fameuses créoles
wave hoops.

Twentytwentyone B1 **20**
→ 274-275 Upper St
Tél. 020 7288 1996 Lun.-sam.
10h-18h, dim. 11h-17h
Sur deux étages,
classiques du design :
fauteuils Eames
ou Mies Van Der Rohe,
chaises Tulip, luminaires,
montres et cosmétiques.

MUSEUM OF LONDON

▼ Plan

ST PAUL'S CATHEDRAL

GUILDHALL

ST BARTHOLOMEW THE GREAT

ESTORICK COLLECTION

erie d'art et les vestiges
mphithéâtre romain.

t Paul's
edral B6
Paul's Churchyard
20 7246 8350
am. 8h30-16h
s le Blitz, la cathédrale,
d'œuvre de Wren,
vait intacte au milieu
amp de ruines de
y ! Son dôme, achevé
11, est le plus vaste
celui de Saint-Pierre
me et culmine à 110 m.
tourdissante du haut
Golden Gallery,
intérieur, des trésors
IIIᵉ s. : fresques de
hill (*Vie de saint Paul*),
el du chœur en métal

ouvragé de Jean Tijou,
stalles et buffet d'orgue
sculptés par Gibbons.
Tombeaux de Wren
et de Nelson dans la crypte.

★ Museum
of London B5
→ *150 London Wall*
Tél. 020 7001 9844 Tlj. 10h-18h
Un musée passionnant sur
l'histoire de Londres et la vie
quotidienne de ses
habitants, de la préhistoire
à l'époque contemporaine.
Reconstitution du Grand
Incendie (1666), maquette
de London Bridge, objets
usuels, vestiges, costumes.

★ St Bartholomew
the Great B5
→ *Church House, Cloth Fair*

Tél. 020 7600 0440 Lun.-ven.
8h30-17h (16h mi-nov.-mi-fév.),
sam. 10h30-16h, dim. 8h30-20h
La plus ancienne église de la
City (XIIᵉ s.). Les colonnes
du déambulatoire offrent
l'un des rares témoignages
d'architecture normande à
Londres. Après l'interdiction
des ordres religieux
au XVIᵉ s., elle abrita
une forge, une imprimerie
et une étable, avant d'être
rendue au culte au XIXᵉ s.

★ Smithfield
Market B5
→ *Charterhouse St*
Lun.-ven. 2h-8h À voir avant 7h
Le marché à la viande
s'active bien avant l'aube,
sous une splendide halle

victorienne. Un spectacle
insolite pour les lève-tôt !

★ Estorick Collection
of Modern Italian Art B1
→ *39a Canonbury Sq.*
Tél. 020 7704 9522
Mer.-sam. 11h-18h, dim. 12h-17h
Une demeure georgienne
typique, aménagée pour
la célèbre collection d'art
italien d'Eric Estorick (1913-
1993). À voir, les œuvres
des pionniers du futurisme,
inspirées par le cubisme,
la technologie et la vitesse
(années 1910) : Balla,
Boccioni, Carrà, Russolo
et Severini, mais aussi
des toiles de Modigliani,
De Chirico ou Morandi.
Agréable café.

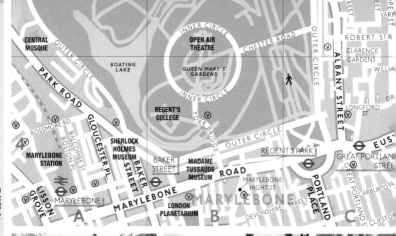

REGENT'S CANAL

REGENT'S CANAL / GASHOLDER PARK

CAMDEN TOWN

★ Charles Dickens Museum F4
→ *48 Doughty St*
Tél. 020 7405 2127
Mar.-dim. 10h-17h
Seul le tic-tac d'une pendule rompt le silence de l'étroite maison de ville où Dickens (1812-1870) vécut de 1837 à 1839. On peut y voir le bureau où il rédigea *Oliver Twist* et *Nicholas Nickleby*. Portraits et souvenirs, salon victorien et, au sous-sol, une grille de la prison où fut incarcéré son père.

★ Foundling Museum E4
→ *40 Brunswick Sq.*
Tél. 020 7841 3600
Mar.-dim. 10h (11h dim.)-17h
Face au jardin où s'élevait jusqu'en 1926 le Foundling Hospital (hôpital des Enfants trouvés), ce musée rend hommage à Thomas Coram (1668-1751), fondateur de l'institution en 1739. Au rez-de-chaussée, une exposition décrit la misère des rues et la vie à l'hôpital : gravures de Hogarth (1697-1764), objets et photos. Au 1er étage : dons d'artistes philanthropes du XVIIIe s. — toiles de Ramsay, Hogarth, Reynolds, clavier d'orgue et partitions de Handel — et superbe salon rococo (Court Room).

★ Petrie Museum of Egyptian Archaeology D4
→ *Malet Place UCL Bloomsbury Campus Tél. 020 7679 2884*
Mar.-sam. 13h-17h
Sous les néons d'un bâtiment universitaire, la collection de l'égyptologue William Flinders Petrie (1853-1942), une mine d'or archéologique ! Statuettes, amphores, stèles, bijoux... et une tunique en lin datant de plus de 3 000 ans.

★ British Library E3
→ *96 Euston Road*
Tél. 033 0333 1144
Lun.-sam. 9h30-20h (18h ven. ; 17h sam.), dim. 11h-17h
Sur une surface démesurée de 112 000 m² et 14 niv de l'édifice (1997) aux lig pures de sir Colin St Joh Wilson (1922-2007) rec un fonds documentaire exceptionnel, réuni dep le XVIIIe s. Explorer les trésors de la Sir John Ri Gallery à l'aide d'écran tactiles et d'écouteurs : Bible de Gutenberg, enluminures du XIVe s., carnet de notes de Léonard de Vinci, manuscrits de Jane Aus Charlotte Brontë ou Lew Carroll et, surtout, la *Mo Carta*, la Grande Charte des droits seigneuriaux extorquée en 1215 au ro Jean sans Terre !

D

LONDON ZOO

PRIMROSE HILL

CAMDEN TOWN

ROUND HOUSE

CAMDEN MARKETS

CAMDEN MARKET

JEWISH MUSEUM

CAMDEN TOWN

CAMDEN TOWN

KENWOOD HOUSE

SOUTH HAMPSTEAD

Hampstead Heath

CHALK FARM

FERDINAND STREET

KENTISH TOWN WEST

Streets / roads

ALBANY STREET
OUTER CIRCLE
PRINCE ALBERT ROAD
REGENT'S CANAL TOWPATH
REGENT'S CANAL
PARK VILLAGE EAST
MORNINGTON CRESCENT
CAMDEN HIGH
BAYHAM ST
DELANCEY ST
ARLINGTON ROAD
CAMDEN PARKWAY
GLOUCESTER AVE
GLOUCESTER CRESCENT
INVERNESS ST
JAMESTONE RD
CAMDEN LOCK PL
OVALVARD
PRINCESS RD
FITZROY RD
CHALCOT RD
REGENT'S PARK ROAD
PRIMROSE HILL ROAD
OPPIDANS ROAD
ELSWORTHY ROAD
KING HENRY'S ROAD
ADELAIDE ROAD
FELLOWS ROAD
ETON AVE
ETON RD
STEELE'S RD
ENGLAND'S LANE
BELSIZE PARK GARDENS
HAVERSTOCK HILL
ANTRIM ROAD
MALDEN RD
RHYL ST
WILKIN ST
QUEENS CRESCENT
MARSDEN STREET
PRINCE OF WALES ROAD
MALDEN CRES.
CASTLEHAVEN ROAD
HARMOOD ST
HARTLAND RD
CANAL ROAD
HAWLEY ROAD
CAMD
CASTLE ROAD
KELLY ST
BARTHOLOMEW
KENTISH TOWN ROAD
KENTISH TOWN RD
ANGLER'S LANE
WILLES ROAD
ALMA ST
ST PANCRAS
BUCK ST
DALBY ST
GLOUCESTER AVE
HAWLEY RD
EDMUND'S TERRACE
AVE RD
REGENT'S PARK ROAD
KINGSTON STREET
FINCHLEY ROAD

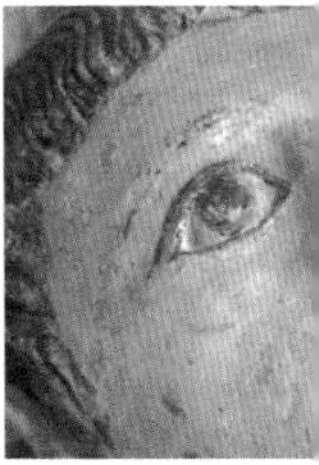

PETRIE MUSEUM OF EGYPT

FOUNDLING MUSEUM

CHARLES DICKENS MUSEUM

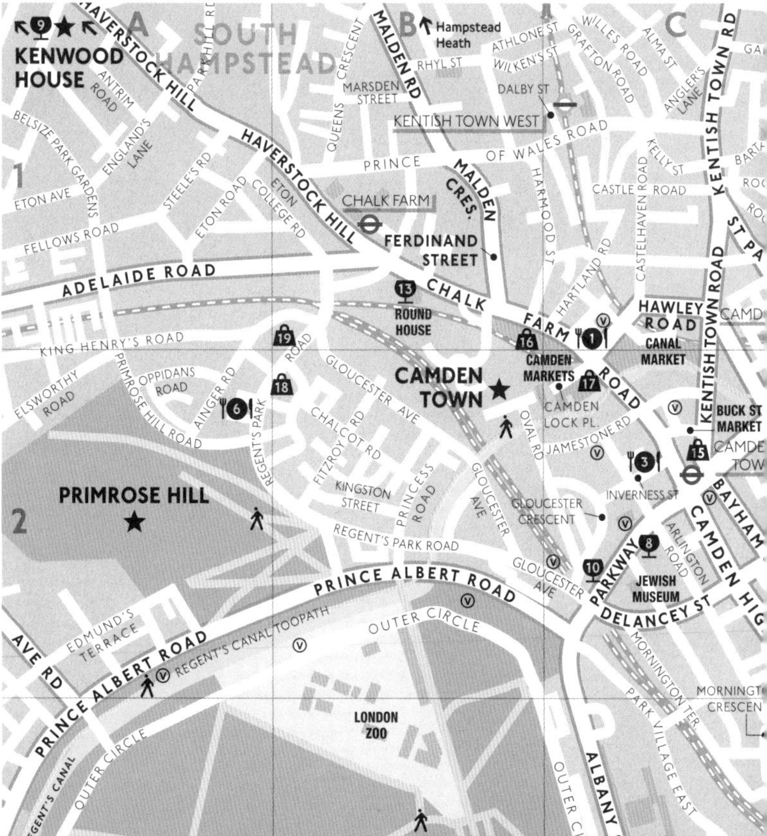

Le nord de Londres décrit par Dickens n'est plus : au sud, les spectaculaires British Library et gare de St Pancras ainsi qu'un vaste plan urbain autour de Granary Square révolutionnent l'ancien faubourg de King's Cross, dont la gare s'est dotée en 2012 d'une splendide résille d'acier. Au nord-ouest, à Camden Town, marchés animés et scènes musicales attirent les touristes chineurs comme les oiseaux de nuit. Le long du canal, des rangées de maisons victoriennes alternent avec des habitations logées dans d'anciens gazomètres et mènent à une paisible colline, Primrose Hill. Au nord, Hampstead niche ses demeures cossues dans les bois.

NORTH SEA FISH

THE QUEEN'S

RESTAURANTS

Thanh Binh C1 🍴❶
→ *14 Chalk Farm Road*
Tél. 020 7267 9820 Mar.-sam. 12h-15h, 18h-23h ; dim. 12h-20h
À deux pas du frénétique Camden Market, on se délecte des fantastiques *Cua Lot Rang Muoi*, petits crabes frits entiers et épicés, ou d'une soupe *pho* réconfortante. Plat 6-9£.

Dishoom E2 🍴❷
→ *5 Stable St*
Tél. 020 7420 9321 Lun.-ven. 8h-23h (0h jeu.-ven.), w.-e. 9h-0h (23h dim.)
Dans Granary Building, l'un des meilleurs indiens de Londres. Son sol carrelé s'inspire des élégants cafés du Bombay des années 1950. Cuisine parfumée et, au *breakfast*, des omelettes épicées. Réserver. Plat 8-12£.

Haché C2 🍴❸
→ *24 Inverness St*
Tél. 020 7485 9100 Tlj. 12h-22h30 (23h ven.-sam. ; 22h dim.)
Le roi du hamburger, vite bondé ! Interminable carte de *buns* garnis d'oignons, de pesto ou de *stilton*, et frites croquantes. Burger 8-13£.

The Lighterman E2 🍴❹
→ *3 Granary Sq.*
Tél. 020 3846 3400
Lun.-ven. 8h-23h30 (0h ven.), w.-e. 9h-0h (22h30 dim.)
Deux étages animés aux larges baies vitrées pour une vue traversante sur Regent Canal et Granary Square. Dans l'assiette, viande grillée au feu de bois, salades et plats inventifs comme cette soupe pomme-céleri et ses noix braisées. Trois terrasses. Plat 9-18£.

North Sea Fish E4 🍴❺
→ *7-8 Leigh St*
Tél. 020 7387 5892 Lun.-sam. 12h-22h30 ; dim. 14h30-21h30 Lun.-sam. 12h-22h30, dim.14h30-21h30
Fish & chips prisé des chauffeurs de *black cabs* ! Dans une salle à manger vieux rose, des poissons très frais tels que le saumon d'Écosse ou le haddock, et des croquettes maison, avec frites et *mushy peas*. Vente à emporter. Plat 10-23£.

The Queen's A2 🍴❻
→ *49 Regent's Park Road*
Tél. 020 7586 0408 Lun.-sam. 11h-23h, dim. 12h-21h
Tons bleu-gris et tables de bois brut : atmosphère rustique chic dans ce pub cosy où déguster de copieux classiques anglais avant une balade à Primrose Hill. *Sunday roast* et paniers pique-

OLLY BUSH

BRITISH BOOT COMPANY

CAMDEN MARKETS

nique à emporter
au parc. Plat 12-16£.

Camino E3 ![7]
→ The Regent Quarter,
3 Varnishers Yard
Tél. 020 7841 7330 Lun.-sam.
12h (11h sam.)-15h30, 17h30-
23h ; dim. 11h-15h30, 18h-22h
À deux pas de la gare
de Saint Pancras, un choix
infini de tapas pour
un délicieux grignotage
ou un dîner romantique.
Musique *live* du jeu.
au sam. Tapa 3-12£ ;
plat à partager 12-48£.

SALON DE THÉ, PUB

Yumchaa C2 ![8]
→ 35-37 Parkway
Tél. 020 7209 9641
Tlj. 8h-20h (21h ven.-sam.)
Salon de thé branché pour
des pauses gourmandes,
à l'abri du tumulte de
Camden. Plus de 30 thés
en vrac et des gâteaux frais.

The Holly Bush hors
plan A1 ![9]
→ 22 Hollymount
Tél. 020 7435 2892
Tlj. 12h-23h (22h30 dim.)
Envie d'une pinte, d'une
pie fumante ou d'un feu
de cheminée qui crépite ?
Rendez-vous dans ce pub,
sis dans une pimpante
maisonnette (XVIIᵉ s.)
de Hampstead.
On peine à s'y faire
une place le week-end !

BAR, CONCERTS

Dublin Castle C2 ![10]
→ 94 Parkway Lun.-mer.
13h-1h, jeu.-dim. 12h-2h
thedublincastle.com
Une institution des
quartiers nord ! De
Madness à Amy
Winehouse, moult rock
stars ont essayé la petite
salle de concert au fond de
ce bar aux lumières rouges.
Live du mer. au dim.

KOKO D2 ![11]
→ 10 Camden High St
Tél. 020 7388 3222 Dim.-ven.
19h-23h (4h ven.), sam. 22h-
4h www.koko.uk.com
Un théâtre construit en
1900, magnifiquement
rénové pour la nouvelle
scène rock et électro.
Concerts grandioses dans
un décor rococo couleur
pourpre. Bien se looker !

Kings Place E2 ![12]
→ 90 York Way
Tél. 020 7520 1490
www.kingsplace.co.uk
Derrière une façade de
verre ondulée qui se reflète
dans les eaux du canal,
les bureaux du quotidien
The Guardian, deux galeries
et deux salles de concert
en vue grâce à leur
programmation pointue :
classique, folk et jazz.

**The Round
House** B1 ![13]
→ Chalk Farm Road

Tél. 0300 6789 222
www.roundhouse.org.uk
Une rotonde classée
(1846), devenue dans
les années 1960-70 la salle
de concert de Jimi Hendrix,
des Pink Floyd et d'autres
pointures. Musique,
danse, théâtre, cirque
et cabaret.

SHOPPING

The Harry Potter Shop
E3 ![14]
→ King's Cross Station
Tél. 020 7803 0500 Lun.-sam.
8h-22h, dim. 9h-21h
Plafond recouvert de
cages, boîtes de baguettes
magiques amoncelées
derrière un comptoir :
qu'on se sente l'âme
d'un Serpentard ou d'un
Gryffondor, on trouvera ici
tout l'attirail de son héros
préféré !

British Boot Company
C2 ![15]
→ 5 Kentish Town Road
Tél. 020 7485 8505
Tlj. 10h30-19h
Le légendaire stock
de Doc Martens,
fabriqués depuis 1958,
a fourni des générations
de *skinheads*, de punks et
de rockers. Innombrables
modèles dans une petite
boutique aux murs
gribouillés : unis, vernis,
ou plus audacieux...

**Camden
Markets** C2 ![16]
→ Chalk Farm Road Tlj. 10h-
18h Activité maximum le w.-e.
Ces célèbres puces,
animées et dépaysantes,
s'étendent d'entrepôts
en écuries et envahissent
une myriade de cours
intérieures. Vêtements
neufs alternatifs, artisans,
friperies, disquaires
et stands d'alimentation
du monde dans un joyeux
capharnaüm. Touristique
et bondé le week-end !

Irregular Choice
C2 ![17]
→ 209-210 Chalk Farm Road
Tél. 020 7482 3090 Tlj. 10h-19h
Inspirés des contes
de fées, des chaussures
et des sacs à assortir,
déjantés et rétro...
So british !

Regent's Park Road A2
Jolie rue bordée de cafés,
de *delis* et de boutiques.

Graham & Green B2 ![18]
→ 164 Regent's Park Road
Tél. 020 7586 2960 Lun.-sam.
10h-18h, dim. 11h30-17h30
Objets déco élégants.

**Mary's Living and Giving
Shop** B1 ![19]
→ 109 Regent's Park Road
Tél. 020 7586 9966 Lun.-sam.
10h-18h, dim. 12h-17h
Charity shop approvivionné
par les célébrités
du coin (Jude Law,
Victoria Beckham...).

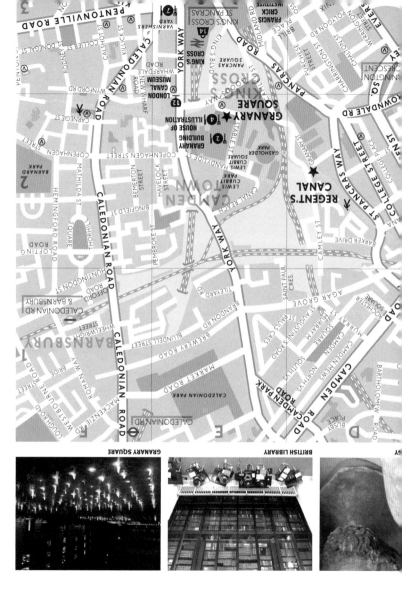

BRITISH LIBRARY

FOUNDLING ★ MUSEUM

CHARLES DICKENS ★ MUSEUM

PETRIE MUSEUM OF EGYPTIAN ARCHAEOLOGY ⓥ

Compton Place

BRUNSWICK CENTER

BRUNSWICK SQUARE

RUSSELL SQUARE

SOUTHOMPTON ROW

TAVISTOCK SQUARE

GORDON SQUARE GARDENS

PERCIVAL DAVID FOUNDATION OF CHINESE ART

MALET PLACE

EUSTON

EUSTON SQUARE GARDENS

ENDSLEIGH GARDENS

UPPER WOBURN PL

WOBURN PL

EUSTON RD

JUDD ST

LEIGH STREET

GRAY'S INN ROAD

SWINTON ST

ACTON ST

WHARTON ST

Percy Circle

CROMER ST

SIDMOUTH ST

CALTHORPE ST

PHOENIX PL

DOUGHTY ST

GUILFORD ST

BERNARD ST

MARCHMONT STREET

HERBRANDT

GOWER STREET

TOTTENHAM COURT RD

0   175   350 m

PRIMROSE HILL

KENWOOD HOUSE

Granary Square E2
ww.kingscross.co.uk *House stration Tél. 020 3696 2020 lim. 10h-18h*
eur du vaste projet
habilitation
ng's Cross, cette vaste
nade déploie un miroir
J aux 1 000 jets,
illuminent d'autant
uleurs à la nuit
ée, et que l'on peut
ême orchestrer avec
li Granary Squirt !
ary Building, ancien
pôt à grains, abrite
rmais l'école d'art
al Saint Martins
House of Illustration,
les excellentes
sitions présentent le

travail d'illustrateurs, jeunes
talents ou renommés.
Des pelouses étagées
mènent au chemin de
halage de Regent's Canal
(voir *Bienvenue à Londres !*) :
un nouveau rendez-vous
londonien !

★ **Regent's Canal** D2
Depuis 1820, ce canal de
13 km relie le bassin
verdoyant de Little Venice
(**F** E1) aux docks (**J** F4),
traversant Regent's Park,
Camden Town, Islington
et l'East End (voir page
Bienvenue à Londres !).
Délicieuse balade sur
les berges au départ du
London Canal Museum
(**D** F4). Passé Granary

Square, en direction
de Camden, on croise
l'insolite Gasholder Park :
sa structure d'acier, qui
servait autrefois à stocker
le gaz, entoure maintenant
une verte pelouse !

★ **Camden Town** B2
Vieilles maisons en brique,
devantures extravagantes,
marchés aux puces animés,
musiques underground
et senteurs exotiques... À
Camden Town, l'excentricité
est de rigueur et punks,
gothiques, jeunes gens et
curieux se croisent à toute
heure du jour ou de la nuit.

★ **Primrose Hill** A2
À l'ouest de Camden Town,
la modeste "colline aux

Primevères" offre une vue
dégagée sur Londres et
Hampstead. La quiétude et
les maisons victoriennes y
attirent bien des célébrités.

★ **Kenwood House**
hors plan A1
→ *Hampstead Lane Mᵒ Golders
Green, puis bus 210
Tél. 037 0333 1181 Avr.-oct. : tlj.
10h-17h ; nov.-mars : tlj. 10h-16h*
Blottie au creux de
Hampstead Heath,
cette demeure élégante
de 1766 abrite des toiles
de maîtres (Rembrandt,
Vermeer, Turner,
Gainsborough...) et des
portraits datant de l'ère
élisabéthaine. À voir, la
somptueuse Adam Library.

WALLACE COLLECTION

ALL SOULS CHURCH

◀ **Plan G**

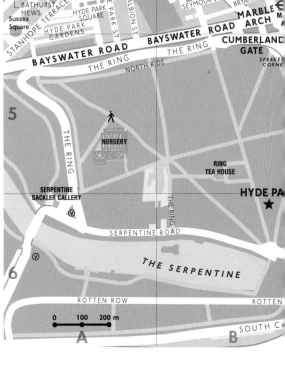

★ Regent's Park C1
→ Tél. 030 0061 2300
Tlj. 5h-coucher du soleil

En 1811, John Nash, grand architecte néoclassique, séduit le futur George IV avec le projet d'une cité-jardin idéale. Face au parc, des *terraces* à portiques et des façades stuquées à massives colonnes ; à l'intérieur, des villas et, aux abords, des demeures plus modestes regroupées en villages romantiques... Seuls certains édifices verront le jour, faute d'argent, mais cet espace vert a bien d'autres atouts : terrains de tennis et de cricket, zoo, magnifique roseraie de la reine Mary

et théâtre en plein air de 1 240 places (*mi-mai-mi-sep.*).

★ ZSL London Zoo C1
→ Regent's Park
Tél. 020 7449 6200
Mi-fév.-mars : tlj. 10h-17h ;
avr.-oct. : tlj. 10h-18h ;
nov.-mi-fév. : tlj. 10h-16h

Inauguré en 1828, ce zoo de 15 ha abrite 13 bâtiments classés. Des insectes aux girafes, en passant par l'enclos des lions ou celui des gorilles, plus de 750 espèces de toutes tailles, dont une très belle collection de reptiles.

★ The Sherlock Holmes Museum B3
→ 221b Baker St
Tél. 020 7224 3688 Tlj. 9h30-18h

Pour examiner à la loupe le pistolet de Watson, la pipe ou le violon du fameux détective imaginé par Conan Doyle et passer son appartement au peigne fin.

★ Madame Tussauds C3
→ Marylebone Road
Tél. 0871 894 3000 Horaires sur www.madametussauds.com

Les fameuses statues de cire pour retrouver les stars mythiques et mettre un visage sur le nom des célébrités de l'histoire. Tous les six mois, de nouvelles spectaculaires mises en scène : Super Heroes de Marvel en 4D, concerts pop ou défilés de mode !

★ Wallace Collecti...
→ Manchester Sq.
Tél. 020 7563 9500 Tlj. 10h

L'excentrique marquis de Hertford (1800-1870 passionne pour la pein (Hals, Rembrandt, Pous Fragonard), le mobilier (Boulle et Riesener), les objets d'art et les arme armures. Son fils, sir Ri Wallace, enrichit le fon que sa veuve française léguera à la nation (189 la condition que les œu ne quittent jamais le m

★ All Souls Churc
→ 2 All Souls Pl.
Tél. 020 7580 3522
Lun.-ven. 10h30-17h30 ;
dim. 9h-14h, 17h45-20h

E

MADAME TUSSAUDS

SHERLOCK HOLMES MUSEUM

REGENT'S PARK

BERKELEY SQUARE
GREAT CUMBERLAND PLACE
CUMBERLAND PLACE
MONTAGU SQUARE
MONTAGU ST
MONTAGU SQUARE
GEORGE STREET
SEYMOUR STREET
BRYANSTON SQUARE WEST
BRYANSTON PLACE
BRYANSTON MEWS
CRAWFORD STREET
STOURCLIFFE STREET
SEYMOUR PLACE
BROWN ST
NUTFORD PLACE
HARROWBY ST
SHOULDHAM ST
BELL STREET
CHAPEL ST
CRAWFORD ST
ST MARY'S
HARCOURT STREET
YORK STREET
UPPER MONTAGU ST
MONTAGU PLACE
DORSET ST
CHAGFORD ST
LINHOPE ST
BOSTON PL
BALCOMBE ST
ROSSMORE RD
HAREWOOD AVE
MELCOMBE ST
MELCOMBE PLACE
GLENTWORTH ST
BICKENHALL STR
GLOUCESTER PLACE
MARYLEBONE STREET
MELCOMBE STREET

EDGWARE ROAD
MARYLEBONE ROAD
LISSON GROVE
PARK ROAD
PRINCE ALBERT ROAD
WELLINGTON ROAD
ST JOHN'S WOOD ROAD

PADDINGTON BASIN
PRAED STREET
ST MICHAEL'S ST
NORFOLK CRES
NORFOLK SQUARE
STAR STREET
SUSSEX GARDENS
SUSSEX SQUARE
CAMBRIDGE SQUARE
PORTER PLACE
ST JOHNS
NEWCASTLE PLACE
PENFOLD PLACE
CHURCH STREET
PENFOLD STREET
LISSON STREET
ASHBRIDGE STREET
ASHMILL ST
BRADLEY ST
SHROTON ST
BROADLEY ST
COSWAY STREET
LUTON ST
SALISBURY STREET
FRAMPTON STREET
CAPLAND ST
JEROME CRES
TRESHAM CRES

SAMARITAN HOSPITAL
CHARTER NIGHTINGALE HOSPITAL
CHRIST CHURCH

MARYLEBONE STATION
MARYLEBONE

LISSON GROVE

NORTH BANK
LODGE ROAD
SYNAGOGUE
PAVELEY STREET
CENTRAL MOSQUE

OUTER CIRCLE
BOATING LAKE

WINFIELD HOUSE

REGENT'S PARK

OUTER CIRCLE
PRINCE ALBERT ROAD
REGENT'S CANAL

ST JOHN'S WOOD
LORD'S CRICKET GROUND
CAVENDISH AVE
WELLINGTON PLACE
NEWCOURT ST
ST JOHNS WOOD HIGH ST
WELLINGTON ROAD
CIRCUS RD
COCHRANE ST
ST JOHN'S WOOD TERRACE
ALLITSEN ROAD
CHARLBERT STREET
CHARLES LANE
ORMONDE TERRACE
EAMONT ST

ST JOHN'S WOOD ROAD
OAK TREE ROAD
REED

SHERLOCK HOLMES MUSEUM

Mayfair a la réputation d'être le quartier le plus huppé de Londres. Si la très subversive Vivienne Westwood, créatrice du look punk dans les années 1970, y possède une boutique, les hôtels prestigieux et magasins de luxe d'Old et New Bond Streets s'accordent désormais mieux à son standing. Vers le nord, à quelques rues de là, Marylebone s'anime davantage, en particulier autour de sa High Street, et conserve de magnifiques façades georgiennes. Quant aux abords de Regent's Park, ils dévoilent de nombreuses *terraces* néoclassiques, dont celle de Cumberland, à l'est, démesurée, avec son fronton historié et ses colonnes immaculées.

MAROUSH

THE SEA SHELL

RESTAURANTS

Nagomi D4 🍴❶
→ 4 Blenheim St
Tél. 020 7165 9506 Lun.-sam. 12h-14h30, 18h-22h30
Des panneaux amovibles séparent la cuisine de la salle, dans cet intérieur japonais très réussi.
À la carte : sushis, *takoyaki* (boulettes de poulpe), nouilles, tempura, gâteau de riz aux haricots.
Plat 8-21£.

Carluccio's C4 🍴❷
→ 3-5 St Christopher's Pl.
Tél. 020 7935 5927
Lun.-ven. 7h30-23h30, w.-e. 9h-23h30 (22h30 dim.)
Sur une adorable placette, toute l'Italie à base d'ingrédients de premier choix, sur place ou à emporter. Plat 9-16£.

Maroush B4 🍴❸
→ 21 Edgware Road
Tél. 020 7723 0773 Tlj. 12h-2h
Né en 1980, ce restaurant libanais n'a pas pris une ride, et la cuisine y reste authentique et savoureuse. À midi, assortiment de mezze, le soir, agneau ou poulet grillés avec une multitude de petits plats, sur fond de danse orientale ! Plat 11-15£.

The Sea Shell A3 🍴❹
→ 49-51 Lisson Grove
Tél. 020 7224 9000
Lun.-sam. 12h-22h30

Un cadre tout frais et de grands comptoirs en marbre pour un très bon fish & chips. Plat 16-32£.

Wild Honey D5 🍴❺
→ 12 St George St
Tél. 020 7758 9160 Lun.-sam. 12h-14h30, 18h-22h30
Chaleureux panneaux de chêne ornés d'œuvres d'art et vieux plancher pour une cuisine de gastropub étoilé : terrine de foie gras aux épices douces, noix caramélisées et poires, et sélection de fromages affinés. Menu 35£ ; plat 18-29£.

Corrigan's Mayfair C5 🍴❻
→ 28 Upper Grosvenor St
Tél. 020 7499 9943
Lun.-ven. 12h-15h, 18h-22h ; sam. 18h-22h ; dim. 12h-16h
La cuisine généreuse, brillante et sans prétention du chef irlandais Richard Corrigan : turbot pané, bisque au cognac et estragon, daube de porc aux navets et abricots... Carte des vins exceptionnelle. Réserver bien à l'avance (surtout le w.-e.). Plat 27-44£.

SALONS DE THÉ

The Wallace C4 ❼
→ The Wallace Collection, Manchester Sq.
Tél. 020 7563 9505

WIGMORE HALL

SOUTH MOLTON STREET

ALFIES ANTIQUE MARKET

Tlj. 10h-17h (23h ven.-sam.)
Un bijou de salon de thé
au cœur du musée.

The Lanesborough
C6 **8**

→ Lanesborough Hotel, Hyde
Park Corner Tél. 020 7259 5599
Service Tlj. 13h-17h30
La très chic cérémonie du
thé à l'anglaise (48-65£),
dans un grand hôtel
à deux pas de Hyde Park.
Thés raffinés, choisis
par le *tea sommelier*, *scones*
et autres douceurs et,
en option, fraises fraîches
et coupe de champagne...

BARS, CONCERTS

Vinoteca B4 **9**

→ 15 Seymour Pl.
Tél. 020 7724 7288
Tlj. 12h-23h (16h dim.)
Un endroit bachique
au charme rustique,
niché dans une ruelle près
de Marble Arch. Chaque
semaine, 30 vins différents
à déguster au verre,
qu'accompagnent plats
chauds et assiettes de
charcuterie ou de fromage.

The Prince Regent
C3 **10**

→ 71 Marylebone High St
Tél. 020 7486 7395
Tlj. 10h (12h dim.)-23h
Miroirs et lustres façon
rococo éclairent ce pub
de quartier au parquet
sombre. Comptoir et tables

en bois conviviales,
pour croquer un morceau
ou boire un verre
(belle sélection de vins).
Sympathique et animé
toute la journée !
Concerts le ven.

The Social D4 **11**

→ 5 Little Portland St
Tél. 020 7636 4992
Lun.-ven. 12h30-0h (1h jeu.-
ven.), sam. 18h-1h
Les habitués se délassent
à coup de juke-box au bar
du rez-de-chaussée,
avant l'ouverture de celui
du sous-sol dès 18h...
et l'arrivage massif
des *after work*. Concerts...
et karaokés de hip-hop !

Wigmore Hall C4 **12**

→ 36 Wigmore St
Tél. 020 7935 2141
wigmore-hall.org.uk
Pour les amateurs éclairés
de musique de chambre,
de jazz et de chant,
une acoustique
et un agenda hors pair.

SHOPPING

Geo. F. Trumper
D5 **13**

→ 9 Curzon St
Tél. 020 7499 1850
Lun.-sam. 9h-17h30 (17h sam.)
Blaireaux de toutes tailles,
splendides rasoirs à main,
parfums et eaux de toilette
chez le plus célèbre
des *gentlemen perfumers*.

Et pour jouer les dandys
jusqu'au bout : une séance
de manucure, un rasage
ou une coupe de cheveux
dans les règles de l'art.

**Old et New Bond
Streets** D4-D5 **14**

La quintessence du
shopping de luxe.
**Smythson of Bond
Street**

→ 40 New Bond St
Luxueux articles
de bureau en cuir.
Alexander McQueen

→ 4-5 Old Bond St
Les dernières collections
hommes et femmes.
Tiffany & Co

→ 25 Old Bond St
Parmi les plus fabuleux
bijoux au monde.
Charbonnel et Walker

→ The Royal Arcade,
28 Old Bond St
À la menthe, à la lavande,
à la framboise ou à la rose,
des chocolats dans la plus
pure tradition insulaire.

South Molton Street
D4 **15**

Tout pour ces dames.
Browns

→ 24-27 South Molton St
Grands couturiers, dans
cinq maisons en enfilade.
**Topshop
Topman** D4 **16**

→ 214 Oxford St
Tél. 084 4848 7487
Lun.-ven. 9h30-22h ;
sam. 9h-21h ; dim. 11h30-18h

Une véritable cité de la
mode et un paradis pour
les ados ! La tendance
à prix modestes pour tous,
y compris les bébés.
Selfridges C4 **17**

→ 400 Oxford St
Tél. 0800 123 400 Lun.-sam.
9h30-21h, dim. 11h30-18h
Voici un grand magasin
de légende, qui fait
la part belle à la mode.
Son *foodhall* regorge de
spécialités britanniques.

The Conran Shop
C3 **18**

→ 55 Marylebone High St
Tél. 020 7723 2223 Lun.-sam.
10h-19h, dim. 11h-18h
Un temple de l'art de vivre,
celui de Terence Conran
sur trois étages : objets
du quotidien réinventés,
luminaires, meubles,
et même un peu de mode !
Librairie fournie de livres
d'art. Au n° 86 de la même
rue, Skandium, pour les
passionnés de design
scandinave.

Alfies Antique Market
A2 **19**

→ 13-25 Church St
Tél. 020 7723 6066
Mar.-sam. 10h-18h
Un des plus vastes
marchés couverts (1976)
du pays : quatre étages
d'antiquités (dès le XVIIIe s.)
du monde entier, dont
de nombreux objets
design du XXe s.

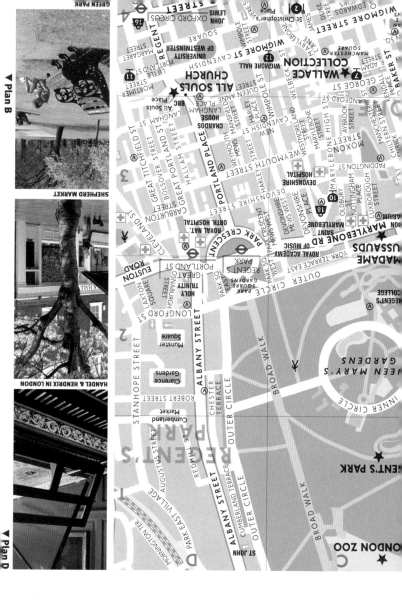

▼ Plan B

GREEN PARK

SHEPHERD MARKET

HANDEL & HENDRIX IN LONDON

▼ Plan D

APSLEY HOUSE

HYDE PARK

▲ Plan A

...eule église londonienne
...4) de John Nash encore
...omb combine
...ortique circulaire
...onnade à une flèche
...que néogothique. Une
...sité baptisée "Gâteau
...ariage" à sa création !

**Handel & Hendrix in
...don** D4
→ ...Brook St Tél. 020 7495 1685
...sam. 11h-18h
...s de 200 ans d'écart,
...eux maisons attenantes
...ccueilli deux immenses
...positeurs. Au n° 25,
...ièces privées où vécut
...del (1685-1759) à partir
...'23. On y écoute
...nregistrement du *Messie*
... sa version originale.

Au n° 23, le nid de Jimi
Hendrix (1942-1970) de
1968 à 1969, décoré par sa
petite amie, avec ses objets
et sa guitare acoustique.

★ Shepherd Market D6
→ *Entre Curzon St et Piccadilly*
À deux pas de Piccadilly
l'agitée, un havre de paix
aux allures de village.
Ici se déroulaient les *May
Fairs*, "foires de mai" (bétail
et céréales) qui donnèrent
leur nom au quartier.

★ Green Park D6
→ *Tél. 030 0061 2350*
Vastes pelouses, platanes
et tilleuls à l'ombre épaisse,
bancs en fonte et vieux
réverbères à gaz...
Un parc au charme désuet.

★ Apsley House C6
→ *149 Piccadilly,
Hyde Park Corner
Tél. 020 7499 5676
Avr.-oct. : mer.-dim. 11h-17h ;
nov.-mars : w.-e. 11h-17h*
La demeure du duc de
Wellington (1769-1852),
gloire de la nation anglaise.
Amateur d'art, il reçoit des
puissants œuvres et objets
auxquels s'ajoutent ses
prises de guerre. Tableaux
de maîtres (Rubens,
Velázquez, Goya, etc.),
orfèvrerie, porcelaine,
et le service en argent
et vermeil utilisé lors
du banquet organisé pour
fêter la victoire de Waterloo
sur Napoléon (1815).

★ Hyde Park B6
→ *Tél. 030 0061 2000 Tlj. 5h-oh*
Le plus populaire des parcs
londoniens, immense
poumon vert au cœur de
la ville. Baigneurs, barques
et cygnes cohabitent sur
la Serpentine, où se déroule,
chaque année à Noël, un
mémorable bain de minuit.
Les cavaliers se promènent
sur Rotten Row, et les pelouses
invitent à la sieste. Depuis
1872, Speakers' Corner, à
l'angle nord-est, est le lieu de
toutes les libertés oratoires...
Quiconque le souhaite peut
prendre la parole, juché
sur une estrade improvisée,
et tenter de rallier les
passants à sa cause !

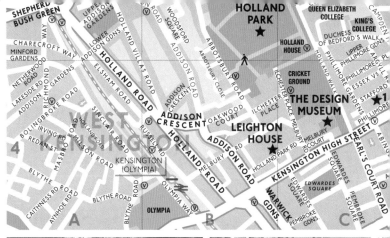

HOLLAND PARK

NOTTING HILL

★ Kensington Palace / Kensington Gardens

D3-E3

→ *Palais* Mars-oct. : tlj. 10h-18h ; nov.-fév. : tlj. 10h-16h
Jardin Tlj. 6h-coucher du soleil

À l'origine terrain de jeux pour reines jardinières, ce parc est devenu celui des enfants : navires téléguidés sur le Round Pond, bateau de pirates au Diana Memorial Playground... Les parterres de fleurs et les jeux d'eau de Sunken Garden évoquent les jardins d'époque Tudor (XVe s.). À l'ouest, on visite Kensington Palace, résidence royale depuis 1689 : la future reine Victoria y naquit et y fut baptisée en 1819, et Diana y résida dès son mariage. À voir, les peintures en trompe-l'œil, les portraits et la collection d'uniformes et de toilettes de cour.

★ Serpentine Gallery F3

→ *Kensington Gardens*
Tél. 020 7402 6075
Mar.-dim. 10h-18h

Ce petit pavillon lumineux, où l'on allait autrefois boire le thé, reçoit désormais des expositions pointues d'art contemporain, à l'instar de sa cousine (et voisine), la Serpentine Sackler Gallery, ancien entrepôt de poudre à canon revisité par Zaha Hadid en 2013. Concerts et *happenings* !

★ 18 Stafford Terrace

C4

→ *18 Stafford Terrace*
Tél. 020 7938 1295
Mi-sep.-mi-juin :
mer., w.-e. 11h (visite guidée de 1h15) ; 14h-17h30 (visite libre)

Un intérieur victorien resté intact. Ici habita entre 1874 et 1910 Sambourne, illustrateur au journal satirique *Punch*.
Des caricatures envahissent les murs, et la maison doit en partie son décor, dont les papiers peints, à William Morris, promoteur du mouvement Arts & Crafts. Une comédienne costumée anime la visite le samedi : exquis !

★ The Design Mus

C4

→ *224-238 Kensington Hi*
Tél. 020 3862 5900 Tlj. 10h
Depuis 2016, l'ancien Commonwealth Institut
(1962), rénové par l'architecte minimaliste Pawson, offre 10 000 m
au musée du Design et ses quelque 3 000 ob
du XIXe s. à nos jours.
Expos, espaces pour jeu
talents et pour s'oriente
une signalisation digital
du studio Cartlidge Leve

★ Leighton House

→ *12 Holland Park Road*
Tél. 020 7602 3316
Mer.-lun. 10h-17h30
Visite guidée Mer., dim. 15

F

PORTOBELLO ROAD MARKET

★ NOTTING HILL

MUSEUM OF BRANDS

Roads and places:

WEST CROSS ROUTE · HOLLAND PARK AVENUE · HOLLAND PARK · HOLLAND PARK MEWS · HOLLAND PARK CRES · ROYAL CRESCENT · QUEENSDALE CRESCENT · ST ANN'S VILLAS · ST ANN'S ROAD · ST JAMES'S GARDENS · ST JAMES'S GARDENS · WISHAM STREET · SIRDAR ROAD · MARY PL · WALMER ROAD · HOLLAND PARK, ST JAMES · PRINCEDALE ROAD · PORTLAND ROAD · CLARENDON ROAD · ST JOHN'S GDNS · LANSDOWNE ROAD · QUEENSDALE ROAD · ADDISON AVENUE · NORLAND SQUARE · PRINCES PLACE · LADBROKE ROAD · LADBROKE SQUARE · LADBROKE SQUARE GARDENS · KENSINGTON PARK RD · LADBROKE WALK · LANSDOWNE CRESCENT · ROSMEAD ROAD · STANLEY CRES · ELGIN CRESCENT · BLENHEIM CRES · CORNWALL CRESCENT · CAMELFORD WALK · LANCASTER ROAD · ST MARK'S ROAD · SILCHESTER ROAD · LATIMER ROAD · BRAMLEY ROAD · WESTWAY · BLAGROVE ROAD · PORTOBELLO ROAD · LADBROKE GROVE · ST LUKE'S RD · OXFORD GARDENS · BASSETT ROAD · CHESTERTON ROAD · ST CHARLES SQUARE · ST MARK'S ROAD · ST HELENS GARDENS · ST QUINTIN AVENUE

KENSINGTON PARK GARDENS · ARUNDEL GARDENS · COLVILLE TERRACE · COLVILLE SQUARE · COLVILLE GARDENS · TALBOT ROAD · POWIS TERRACE · POWIS SQUARE · POWIS GARDENS · ALL SAINTS · WESTBOURNE PARK RD · TAVISTOCK ROAD · LANCASTER ROAD · BASING STREET

CHEPSTOW · PEMBRIDGE RD · PEMBRIDGE GARDENS · PEMBRIDGE SQ · PEMBRIDGE VILLAS · PEMBRIDGE CRESCENT · DAWSON PL · CHEPSTOW VILLAS · CHEPSTOW CRES · DENBIGH RD · LEDBURY ROAD · WESTBOURNE GROVE · DENBIGH TER · ARTESIAN RD · NORTHUMBERLAND PLACE · MOORHOUSE RD · SHREWSBURY RD · SUTHERLAND PLACE · LEAMINGTON ROAD VILLAS · LEDBURY RD · POWIS MEWS · GREAT W. ROAD · WESTBOURNE PARK

CAMDEN · PEEL STREET · KENSINGTON · CAMPDEN HILL ROAD · HILLGATE STREET · UXBRIDGE STREET · AIRLIE GARDENS · BEDFORD GARDENS · AUBREY WALK · CAMPDEN HILL SQUARE · AUBREY ROAD · HOLLAND PARK · CAMPDEN HILL · HILLSLEIGH RD · NOTTING · BULMER PL

ALL SAINTS · CARMELITE MONASTERY GARDENS · LAWRENCE · ST LAWRENCE TERRACE · ST CHARLES SQUARE

SERPENTINE GALLERY

KENSINGTON GARDENS / KENSINGTON PALACE

Lieu de villégiature avant que Kensington Palace ne devînt résidence royale, le quartier alterne de splendides demeures bourgeoises et des *mews* (écuries) reconverties, et attire les *shoppers* sur Kensington High Street. Au nord, les maisons victoriennes cossues et colorées font oublier que Notting Hill fut jadis un quartier d'immigration. Toujours présente au nord de Portobello Road, la communauté antillaise organise chaque été un fantastique carnaval caribbéen. Encore plus loin, sur Golborne Road, de plus en plus *trendy*, éclosent cafés et boutiques, tandis qu'à l'est, les canaux et Little Venice promettent des balades romantiques.

ELECTRIC DINER

OTTOLENGHI

RESTAURANTS

Taqueria C2 🍴❶
→ 141-145 Westbourne Grove
Tél. 020 7229 4734
Tlj. 12h-23h (23h30 ven.-sam. ; 22h30 dim.)
Une cantine mexicaine à prix doux et de bonne tenue, dans un décor dépouillé. À la carte, *tacos*, *tortillas*, etc. Plat 5-9,80£.

Redemption C1 🍴❷
→ 6 Chepstow Road
Tél. 020 7613 9041
Mar.-ven. 12h-22h30,
w.-e. 10h-22h30 (17h dim.)
Cuisine vegan ultra-*healthy* dans ce néo-bistrot tout simple : *avocado toasts*, copieux bols du jour mixant légumes croquants, noix et graines, et desserts inventifs, dont la tarte citrouille-gingembre-cannelle ! Plat 9-13£.

Electric Diner B1 🍴❸
→ 191 Portobello Road
Tél. 020 7908 9696 Tlj. 8h-oh
(1h jeu.-sam. ; 23h dim.)
La sympathique brasserie du cinéma avec ses tables en bois massif et ses banquettes de cuir rouge. Salades et petits plats soignés, dont les burgers ou l'os à moelle. Clientèle cosmopolite. Plat 10-17£.

Kateh hors plan
E1 🍴❹
→ 5 Warwick Pl.
Tél. 020 7289 3393
Lun.-ven. 18h-23h ; sam. 12h-16h, 18h-23h ; dim. 12h-21h30
Le meilleur de la gastronomie persane : sardines grillées au basilic, *ghormeh sabzi* (veau aux herbes et haricots rouges) et desserts maison. À deux pas des canaux de Little Venice. Plat 13-20£.

The Cow C1 🍴❺
→ 89 Westbourne Park Road
Tél. 020 7221 0021
Dining room Lun.-sam. 19h-23h, dim. 12h30-15h30
Bar Tlj. 12h-23h (22h30 dim.)
Un gastropub cosy, où se retrouver au coin du poêle et se régaler d'huîtres et d'une Guinness... Pour un repas complet, s'installer à l'étage (réservé au dîner et au traditionnel *Sunday roast*). Plat 10£ (déj. lun.-ven.), 13-23£ (dîner).

Maggie Jones's
D3 🍴❻
→ 6 Old Court Pl.
Tél. 020 7937 6462
Tlj. 12h-14h30, 18h-22h15
Derrière la façade fleurie, on se croirait dans le cottage d'une vieille lady distinguée : boiseries, étagères garnies de pots dépareillés, fleurs séchées... Des habitués fréquentent les lieux depuis 1960, pour la gentillesse du service et les mets savoureux. Plat 9£ (déj.), 15-28£ (dîner).

CHILL ARMS

NOTTING HILL ARTS CLUB

CERAMICA BLUE

SALON DE THÉ, CAFÉS

The Orangery D3 **7**
→ *Kensington Palace, Kensington Gardens*
Tél. 020 3166 6113
Mars-oct. : tlj. 10h-18h ; nov.-fév. : tlj. 10h-17h
High tea raffiné ou petit plat salé dans la lumineuse orangerie (1704) de la reine Anne, ouverte sur les jardins. *High tea 27,50£.*

Ottolenghi C2 **8**
→ *63 Ledbury Road*
Tél. 020 7727 1121
Lun.-sam. 8h-20h (19h sam.), dim. 9h-18h
À l'arrière de ce traiteur réputé pour ses belles salades équilibrées et ses pâtisseries maison, quelques tables chéries des élégantes de Notting Hill. Dans la vitrine, les préparations du jour, tape-à-l'œil, attisent les envies.

Daylesford Organic Café C2 **9**
→ *208-212 Westbourne Grove*
Tél. 020 7313 8050
Lun.-sam. 8h-19h (21h30 mar.-sam.), dim. 10h-16h
Soupes, salades, pain frais, cheddar, puddings... Rien que de bonnes choses dans ce grand café aéré, qui abrite une épicerie de produits de la ferme. Belle terrasse, exposée au soleil.

PUBS, CINÉMA, CLUB

Churchill Arms C3 **10**
→ *119 Kensington Church St*
Tél. 020 7727 4242
Lun.-sam. 11h-23h (oh jeu.-sam.), dim. 12h-22h30
Ce grand pub, aux murs et aux plafonds ornés d'un bric-à-brac de paniers d'osier et de photos, attire tant pour son atmosphère le soir que pour l'excellente nourriture thaïlandaise, servie dans une véranda.

Ladbroke Arms C2 **11**
→ *54 Ladbroke Road*
Tél. 020 7727 6648 Lun.-sam. 11h30-23h, dim. 12h-22h30
Dans une maisonnette jaune poussin, le plus chaleureux des pubs, avec cheminées, grandes banquettes bordeaux, murs clairs et terrasse.

Electric Cinema B2 **12**
→ *191 Portobello Road*
Tél. 020 7908 9696
www.electriccinema.co.uk
Cinéma mythique (1911), un des premiers édifices conçus pour la projection de films. Profonds fauteuils de cuir rouge, sofas ou lits deux-places (à réserver), avec couvertures en cachemire !

Notting Hill Arts Club D2 **13**
→ *21 Notting Hill Gate*
Tél. 020 7460 4459
Mar.-sam. 19h-2h
Un dance-floor en sous-sol où s'étourdir de *world music* : baile funk, drum'n'bass asiatique, punk tzigane...

SHOPPING

Fara Kids & Baby C2 **14**
→ *39-41 Ledbury Road*
Tél. 020 7229 3634 Tlj. 10h-18h
Les plus jeunes aussi ont leur *charity shop* ! Vêtements et accessoires signés des grands noms de la mode enfant.

Paul Smith B2 **15**
→ *Westbourne House, 122 Kensington Park Road*
Tél. 020 7229 8982
Lun.-sam. 10h-18h (18h30 sam.), dim. 12h-17h
La star de la mode masculine anglaise a installé son *flagship store* dans une somptueuse maison édouardienne. Coupes classiques, un rien rétros ou ethniques.

Rough Trade B1 **16**
→ *130 Talbot Road*
Tél. 020 7229 8541 Lun.-sam. 10h-18h30, dim. 11h-17h
Ce disquaire fut un haut lieu de la culture punk : le label, créé en 1976, a lancé nombre de groupes tels que The Smiths ! Une référence pour la musique indé (pop, rock, post-rock...), mais aussi pour les musiques actuelles.

The Spice Shop B1 **17**
→ *1 Blenheim Crescent*
Tél. 020 7221 4448 Lun.-sam. 10h-18h30, dim. 11h-15h
Derrière la devanture colorée, une caverne d'Ali Baba : fruits secs, herbes aromatiques et épices.

Books for Cooks B1 **18**
→ *4 Blenheim Crescent*
Tél. 020 7221 1992
Mar.-sam. 10h-18h
Des livres de cuisine du plancher au plafond, et un minuscule restaurant où goûter les recettes des ouvrages en rayon.

Ceramica Blue B1 **19**
→ *10 Blenheim Crescent*
Tél. 020 7727 0288 Lun.-sam. 10h-18h30, dim. 12h-17h
Une pimpante échoppe : vaisselle de faïence ou de verre coloré, ustensiles...

Golborne Road B1 **20**
Friperies, magasins de déco indépendants et petits cafés bordent cette rue vivante et métissée.

Rellik hors plan B1
→ *8 Golborne Road*
Tél. 020 8962 0089
Mar.-sam. 10h-18h
Pour dégoter des pièces de créateurs, une des friperies les plus pointues de la ville, fondée par trois anciens du marché de Portobello Road.

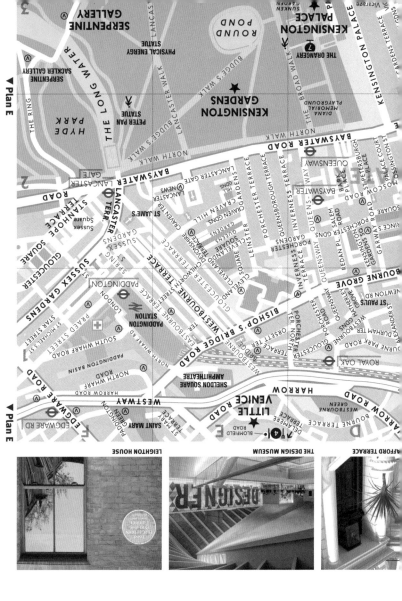

▼ Plan E

SERPENTINE GALLERY Ⓐ

LANCAS

KENSINGTON PALACE Ⓐ

SUNKEN GARDEN

Vicarage

GDN

ROUND POND

THE LONG WATER

PHYSICAL ENERGY STATUE

BUDGE'S WALK

SERPENTINE SACKLER GALLERY Ⓐ

THE RING

HYDE PARK

PETER PAN STATUE ✦

BUDGE'S WALK

LANCASTER WALK

KENSINGTON GARDENS

NORTH WALK

THE BROAD WALK

GARDENS TERRACE

KENSINGTON PALACE

THE ORANGERY Ⓐ

7

DIANA MEMORIAL PLAYGROUND

NORTH WALK

BAYSWATER ROAD

QUEENSWAY Ⓐ

BAYSWATER Ⓐ

BAYSWATER ROAD

STANHOPE TERRACE

LANCASTER TERR.

BAYSWATER ROAD

LANCASTER GATE

LANCASTER GATE Ⓐ

LANCASTER MEWS

HILL GDNS

2

ST JAMES'S

CRAVEN TERRACE

CRAVEN HILL

CRAVEN HILL GARDENS

SPRING

LEINSTER TERRACE

PORCHESTER TERRACE

QUEENSBOROUGH TERRACE

INVERNESS TERRACE

QUEEN'S WAY

PRINCE'S SQUARE

KENSINGTON GARDENS SQ Ⓐ

GARWAY ROAD

MOSCOW ROAD

ST PETERSBURGH PLACE

PALACE COURT

OSSINGTON S

BARK PLACE

SALEM ROAD

REDAN PL

QUEENSWAY

PORCHESTER GARDENS

PORCHESTER SQUARE

GLOUCESTER TERRACE

BISHOP'S BRIDGE ROAD

CLEVELAND SQUARE

CLEVELAND TERRACE

DEVONSHIRE TERRACE

CHILWORTH STREET

GLOUCESTER TERRACE

WESTBOURNE TERRACE

Ⓐ PADDINGTON

SUSSEX GARDENS

SUSSEX SQUARE

GLOUCESTER SQUARE

Sussex Square

SUSSEX GARDENS

STAR STREET

EDGWARE ROAD

PADDINGTON BASIN

NORTH WHARF ROAD

PRAED STREET

ST MICHAEL'S ST

SOUTH WHARF ROAD

PADDINGTON STATION

🚉 LONDON PADDINGTON Ⓐ

EASTBOURNE TER

MAEDA CRES

NORTH WHARF R

ORSETT TER

BOURNE GROVE

BOURNE GROVE

NEWTON RD

MATHERLY

ST PAUL'S Ⓐ

WESTBOURNE PARK VILLAS

WESTBOURNE GDNS

GLOUCESTER

PORCHESTER ROAD

DURHAM TER

ALEXANDER ST

ROYAL OAK Ⓐ

URNE PARK ROAD

WESTBOURNE PARK ROAD

HARROW ROAD

WESTWAY

HARROW ROAD

NORTH WHARF ROAD

SOUTH WHARF ROAD

HARROW

SHELDON SQUARE AMPHITHEATRE

LITTLE VENICE

BLOMFIELD ROAD

DELAMERE TERRACE

4

BOURNE TERRACE

WESTBOURNE GREEN

ARROW ROAD

SAINT MARY'S TERRACE

PADDINGTON GREEN

EDGWARE ROAD Ⓐ

E

▼ Plan E

AFFORD TERRACE

THE DESIGN MUSEUM

DESIGNER

LEIGHTON HOUSE

OBELLO ROAD MARKET

MUSEUM OF BRANDS

LITTLE VENICE

ère la façade austère, avagance règne en e. Frederic Leighton 0-1896), peintre ocès, grand voyageur u d'Orient, voulut des d'un rouge pompéien hall digne d'un palais e (faïence d'Iznik, ine...). Tableaux aître et de ses amis phaélites, dont e-Jones et Millais.

Holland Park B3
7h30-coucher du soleil us romantique des s londoniens, composé rdins divers (japonais, ndais, jardin de roses iris) où des paons se nent. De Holland House

(1607), manoir de style hollandais, il ne reste que l'aile orientale, rare vestige de l'époque jacobéenne. Les soirs d'été, le parvis devient scène de théâtre, de ballet ou d'opéra.

★ **Notting Hill** B2
Le quartier bohème de Londres, coloré et pentu ! Une bourgeoisie aisée y résidait à la fin du XIXᵉ s. Après 1950, s'y installa une population espagnole, portugaise et antillaise, qui cohabite aujourd'hui avec le petit monde du show-biz. Sur les hauteurs s'alignent belles demeures georgiennes et maisons pastel. Passée la rocade

de Westway, les rues pourtant moins léchées sont en pleine gentrification ! Fin août, spectaculaire carnaval organisé par les *Black Britons* depuis les années 1950 : ambiance endiablée !

★ **Portobello Road Market** C2
→ *Portobello Road Lun.-sam. 9h-18h (13h jeu. ; 19h ven.-sam.)*
À voir le samedi, quand les étals de fruits et légumes côtoient les stands d'antiquités et un joyeux pêle-mêle de fripes.

★ **Museum of Brands, Packaging and Advertising** A1
→ *111-117 Lancaster Road Tél. 020 7243 9611 Mar.-sam.*

10h-18h, dim. 11h-17h
Toute l'histoire des marques, des emballages et de la publicité, de l'ère victorienne à nos jours : boîtes, posters, échantillons de produits de consommation courante...

★ **Little Venice** E1
Là où Grand Union Canal et Regent's Canal se rejoignent, un large bassin permettait aux péniches de manœuvrer pour aller s'amarrer dans un troisième canal en cul-de-sac. De nos jours, seuls quelques *houseboats* et familles de canards animent les paisibles voies d'eau. Voir Regent's Canal Towpath dans la page *Bienvenue à Londres* !

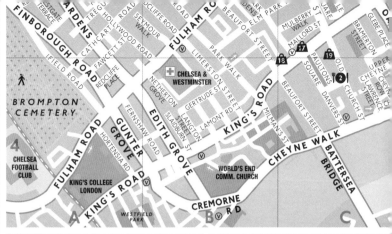

CHRISTIE'S

CHELSEA PHYSIC GARDEN

★ Royal Albert Hall B1
→ Kensington Gore
Tél. 020 7589 8212
Visite guidée
Programme en ligne
www.royalalberthall.com
Une rotonde en briques rouges coiffée d'un dôme métallique (1871), pour une illustre salle de concert à l'image d'un amphithéâtre romain. L'éclectisme y règne en maître : pop, classique, jazz... Un passage obligé pour les plus grands. Admirer, juste en face, l'Albert Memorial, édifié par la reine Victoria en hommage à son époux dans les jardins de Kensington.

★ The London Oratory C2
→ Brompton Road
Tél. 020 7808 0900
Tlj. 6h30-20h
Église néobaroque (1884) de la congrégation catholique de l'Oratoire. Elle abrite les statues des 12 apôtres de Giuseppe Mazzuoli (1644-1725).

★ Victoria & Albert Museum C2
→ Cromwell Road
Tél. 020 7942 2000
Tlj. 10h-17h45 (22h ven.)
Plus de 10 km de galeries d'exposition et 2,3 millions d'œuvres réparties en 146 salles pour la plus grande collection d'arts décoratifs du monde. Cartons de tapisserie de Raphaël, tissus indiens, céramiques coréennes : la diversité des objets européens ou asiatiques est immense, et la section d'art indien ne possède d'équivalent qu'en Inde ! Aussi, sculpture, peinture anglaise et photographie. Expositions temporaires majeures (réserver !).

★ Science Museum C1
→ Exhibition Road
Tél. 020 7942 4000
Tlj. 10h-18h
Un musée à la pointe du progrès : interactivité et simulations tous azimuts, suivi au plus près des dernières évolutions scientifiques (missions sur Mars, progrès de la génétique...), tandis que les salles anciennes rela les inventions de l'ère industrielle. À ne pas manquer, la première machine à vapeur, la ca Apollo 10 et une fusée V2

★ Natural History Museum B2
→ Cromwell Road
Tél. 020 7942 5000
Tlj. 10h-17h50
Même la façade du mus grouille de plantes et d'animaux ! Des 80 milli de spécimens, seule une toute petite partie e exposée, racontant l'his

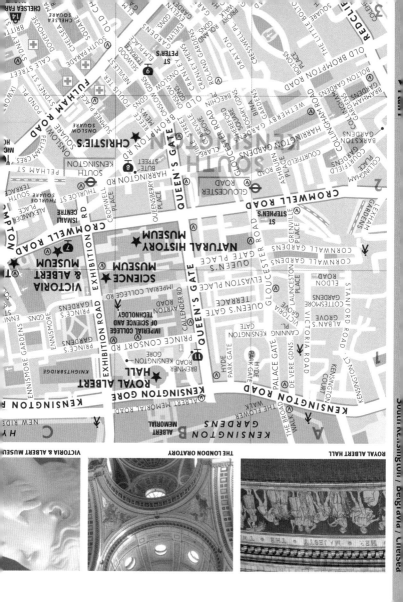

VICTORIA & ALBERT MUSEU...

THE LONDON ORATORY

ROYAL ALBERT HALL

Des prestigieux musées de South Kensington, on gagne par Knightsbridge le nec plus ultra du shopping de luxe : Harrods et Sloane Street, vitrine de la haute couture. Plus à l'est, Belgravia dissimule ambassades et nobles demeures derrière ses imposantes façades, loin de l'ambiance animée et *fashion* de Chelsea : sur King's Road, l'irrévérence des Swinging Sixties et du mouvement punk a laissé place à des cafés *preppy* et à des boutiques de mode qui incitent au coup de folie. Plus au sud, les jardins et les ruelles fleuries où vécurent nombre d'artistes invitent à de plus sages flâneries.

THE PHOENIX

BIBENDUM

RESTAURANTS

The Phoenix D3 ♟❶|
→ *23 Smith St*
Tél. 020 7730 9182 Lun.-sam. 10h-oh, dim. 11h-22h30
Belle adresse gourmande, dotée d'une terrasse où prendre le soleil. Cuisine de pub classique, bien exécutée. Tous les ven., fish & chips. Plat 8-10,50£ (déj.) ; 12-27£ (dîner).

Pig's Ear C4 ♟❷|
→ *35 Old Church St*
Tél. 020 7352 2908
Lun.-ven. 12h-15h, 17h-22h ; w.-e. 12h-22h (21h dim.)
Bar Tlj. 12h-23h (22h30 dim.)
Ce typique gastropub, qui n'a gardé de l'oreille de porc que le nom, concocte une cuisine anglaise soignée : risotto au stilton, filet de bœuf Wellington et *puddings*, servis à la lueur de bougies au bar du rdc ou dans la salle parquetée au 1ᵉʳ étage. Plat 14-22£.

The Thomas Cubitt F2 ♟❸|
→ *44 Elizabeth St*
Tél. 020 7730 6060
Étage Lun.-sam. 12h-15h, 18h-22h ; dim. 12h-21h30
Rdc Tlj. 12-22h (21h30 dim.)
Une institution de Belgravia ! À la fois pub et restaurant élégant : gigot d'agneau, *beef & Guinness pie*, civet de chevreuil, fish & chips... Plat 15-24£.

Amaya E1 ♟❹|
→ *15 Halkin Arcade, Motcomb St Tél. 020 7823 1166*
Lun.-sam. 12h30-14h15, 18h30-23h30 ; dim. 12h45-14h45, 18h30-22h30
Les délices de l'Inde, dans la pénombre de ce restaurant étoilé : huîtres grillées sauce noix de coco, poulet tikka mariné au poivre noir, puis terrine de chocolat au *rasmalai*. Menu déj. 25£, plat 15-40£.

Bibendum C2 ♟❺|
→ *Michelin House, 81 Fulham Road Tél. 020 7581 5817*
Mar.-sam. 12h-14h30 (15h sam.), 18h30-22h30 ; dim. 12h30-15h
Dans un bâtiment Art déco à l'effigie du Bonhomme Michelin, un magnifique restaurant pour déguster un plateau de fruits de mer et l'excellente cuisine du chef Peter Robinson et de l'écrivain culinaire Simon Hopkinson. Au rdc, bar à huîtres plus abordable. Menu unique dim. 36£, plat 21-38£.

Marcus E1 ♟❻|
→ *Wilton Pl.*
Tél. 020 7235 1200 Lun.-sam. 12h-14h45, 18h-22h45
Marcus Wareing, l'un des plus grands chefs britanniques du moment (deux étoiles au Michelin), officie au restaurant

NGLESEA ARMS

HARRODS

CATH KIDSTON

de l'hôtel Berkeley.
Assiettes sophistiquées
et légères, et exceptionnel
menu végétarien.
Menu 49£ (déj.), 85-120£.

CAFÉ, GLACIER

V&A Café C2 **7**
→ *Victoria & Albert Museum,
Cromwell Road*
Tél. 020 7942 2000
Tlj. 10h-17h15 (21h30 ven.)
Passé le self aux lignes
contemporaines, trois
somptueuses pièces en
enfilade offrent un cadre
historique pour un thé ou
un petit-en-cas : grandes
cheminées ouvragées,
plafonds vertigineux, murs
couverts de céramique
et lustres gigantesques...

Oddono's B2 **8**
→ *14 Bute St*
Tél. 020 7052 0732
Tlj. 9h30-23h (oh ven.-sam.)
Des glaces italiennes
maison aux saveurs
exquises, préparées
avec des ingrédients
méticuleusement choisis.

PUBS, BAR

The Anglesea
Arms B3 **9**
→ *15 Selwood Terrace*
Tél. 020 7373 7960 Lun.-sam.
11h-23h, dim. 12h-22h30
Un papier peint à grosses
fleurs très *british* tapisse

ce pub de quartier,
où les panneaux de verre
et de lambris créent
des espaces intimes.
Charmante terrasse.

Fox and Hounds E2 **10**
→ *29 Passmore St*
Tél. 020 7730 6367
Tlj. 12h-23h
Pour échapper aux ondes
fashion de Chelsea, un
sympathique petit pub de
quartier, sans prétention,
ni juke-box, ni écran TV !

Bar 190 B1 **11**
→ *Gore Hotel, 190 Queen's
Gate* Tél. 020 7584 6601
Tlj. 12h-1h (22h30 dim.)
Boire un verre dans
un bar d'hôtel est d'usage
à Londres. Ici, les murs
couverts de boiseries
aux teintes rousses et
les canapés invitent à une
langueur toute coloniale.
Faune très *people*.

SHOPPING

Harrods D1 **12**
→ *87-135 Brompton Road*
Tél. 020 7730 1234 Lun.-sam.
10h-21h, dim. 11h30-18h
Un piano, une armure,
une robe de soirée ?
Le luxe un peu tapageur
de l'enseigne légendaire
agace ou fascine.
À voir, les spectaculaires
Food Halls et leurs mets
présentés dans
un décor baroque !

Harvey Nichols E1 **13**
→ *109-125 Knightsbridge*
Tél. 020 7235 5000 Lun.-sam.
10h-20h, dim. 11h30-18h
Le grand magasin le plus
huppé de Londres, qui
l'emporte sur Harrods pour
les collections de grandes
marques. Restaurants
et cafés au 5e étage.

Chelsea Farmers
Market C3 **14**
→ *125 Sydney St* Tlj. 9h30-20h
Ici, pas d'étals de fruits
et légumes, mais des
boutiques et restaurants
bio et bobos dans
des bicoques de bois...
Chez Here : alimentation
biologique ; chez Cheeky
Boo : cigares, bonbons,
CD ; et chez Dri Dri :
délicieuses glaces.

King's Road
Cath Kidston E2 **15**
→ *27 King's Road*
Tél. 020 7259 9847 Lun.-sam.
10h-19h, dim. 11h-17h
Fleurs, étoiles, fraises
ou pois, les motifs colorés
et *punchy* créés par
Cath Kidston parsèment
les layettes, les bottes
de pluie, les mallettes
à pique-nique et le linge
de maison.

Anthropologie D3 **16**
→ *131-141 King's Road*
Tél. 020 7349 3110 Lun.-sam.
10h-19h, dim. 11h30-18h
Longues robes fluides,
blouses, sacs ethniques,

vaisselle ou couvre-lits
imprimés, rien n'échappe
à la touche bohème-chic
de ce chaleureux *concept
store* aux vitrages et
ferronneries Arts & Crafts.

Brora C3 **17**
→ *344 King's Road*
Tél. 020 7352 3697 Lun.-sam.
10h-18h, dim. 12h-17h
Le cachemire écossais
dans tous ses éclats pour
un seul mot d'ordre :
de la couleur ! Pulls,
cardigans et bonnets vert
printemps, roses, rayés...

The Shop at Bluebird
C4 **18**
→ *350 King's Road*
Tél. 020 7351 3807³ Lun.-sam.
10h-19h, dim. 12h-17h
Sélection de vêtements
et accessoires ultra-
pointus dans l'ancien,
vaste et lumineux garage
des automobiles Bluebird :
Acne, Theory, Preen...

British Red Cross
Shop C3 **19**
→ *69-71 Old Church St*
Tél. 020 7376 7300
Lun.-sam. 10h-18h
Les Londoniens adorent
s'habiller dans les *charity
shops*. Celui de la Croix-
Rouge se spécialise dans
les articles vintage
de grands couturiers
et designers branchés :
Alexander McQueen,
Vivienne Westwood ou
Gucci à des prix très doux.

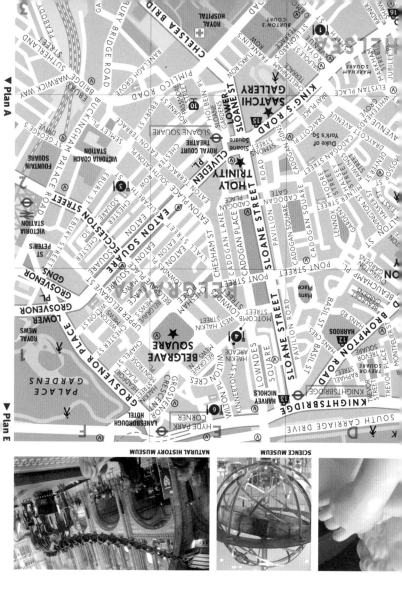

SCIENCE MUSEUM

NATURAL HISTORY MUSEUM

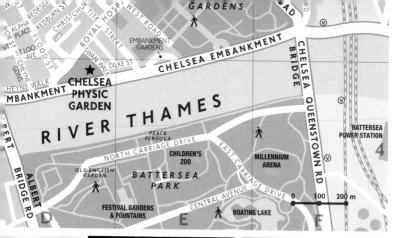

REDESU
ALPHA
PLACE
ST LOO AVE
FLOOD ST
REDBURN ST
CHRISTCHUCK
TITE STREET
ROYAL HOSP... WEST ROAD
SWAN WALK
DILKE ST
EMBANKMENT GARDENS
CHEYNE GDNS
HEYNE WALK
MBANKMENT

★ **CHELSEA PHYSIC GARDEN**

CHELSEA EMBANKMENT

CHELSEA QUEENSTOWN RD

BRIDGE

RIVER THAMES

PEACE PERGOLA

OLD ENGLISH GARDEN

NORTH CARRIAGE DRIVE

EAST CARRIAGE DRIVE

CHILDREN'S ZOO

MILLENNIUM ARENA

BATTERSEA POWER STATION

4

BATTERSEA PARK

ALBERT BRIDGE RD

BRIDGE RD

FESTIVAL GARDENS & FOUNTAINS

CENTRAL AVENUE

BOATING LAKE

0   100   200 m

D   E   F

HI GALLERY

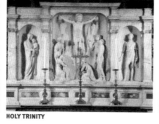

HOLY TRINITY

BELGRAVE SQUARE

iversité de la vie
la Terre. Des dinosaures
bindre insecte,
clat du diamant
mblement de terre.
atinoire est installée
n parvis en hiver.

hristie's B2
Old Brompton Road
° 7930 6074
en. 9h-19h30
ar.-ven.), w.-e. 11h-17h
ccasion unique de
vir l'illustre maison
nte aux enchères,
ljuge ici des objets
prix raisonnables.

**helsea Physic
en** D4
Royal Hospital Road
° 7352 5646

Avr.-oct. : mar.-ven.,
dim. 11h-18h ;
nov.-mars : lun.-ven. 11h-17h
L'un des plus anciens jardins
botaniques du pays, fondé
en 1673 par la Société
des apothicaires. On y
cultivait alors les plantes
médicinales. Au fil des
siècles, l'enclos s'enrichit
de semences exotiques,
entre autres grâce aux dons
de sir Hans Sloane.

★ **Saatchi Gallery** E2
→ Duke of York's HQ, King's
Road
Tél. 020 7811 3070
Tlj. 10h-18h
Collectionneur richissime
et controversé, indissociable
de l'art contemporain

britannique, Charles Saatchi
expose les artistes qu'il a
lancés, de Damien Hirst
et ses animaux plongés dans
des aquariums de formol
à Paula Rego et ses toiles
teintées de réalisme
magique.

★ **Holy Trinity** E2
→ Sloane St
Tél. 020 7730 7270
Lun.-ven. 8h-18h15, sam. 9h-
15h45, dim. 8h45-11h
Achevée en 1890, une église
fascinante, "cathédrale du
mouvement Arts & Crafts",
selon le poète J. Betjeman :
plan asymétrique, orgue
enfermé dans une cage
dorée, colonnes de
porphyre, et surtout de

merveilleux vitraux, réalisés
par (William) Morris & Co.
Dans le chœur, la verrière
figurant une galerie de
personnages bibliques fut
dessinée par le préraphaélite
Edward Burne-Jones.

★ **Belgrave Square** E1
Difficile d'imaginer que
cette place encadrée
d'ambassades et
d'immeubles cossus fut
autrefois un coupe-gorge.
L'ensemble parfaitement
ordonnancé fut imaginé par
Thomas Cubitt (1788-1855)
en 1824, et ses blanches
demeures stuquées
et rythmées de colonnades
furent vite investies par la
noblesse et l'élite politique.

BFI SOUTHBANK

**SOUTHBANK CENTRE /
ROYAL FESTIVAL HALL**

[Map with labels: ABINGDON ST, VICTORIA TOWER GARDENS, MILLBANK, THORNEY STREET, MILLBANK TOWER, THORNEY STREET, ALBERT EMBANKMENT, LAMBETH BRIDGE, LAMBETH PALACE ROAD, LAMBETH PALACE, ARCHBISHOPS PARK, LAMBETH RD, PRATT WALK, NORTHFOLK ROW, SAIL ST, JUXON S, OLD PARADISE, STREET, LAMBETH HIGH ST, WHITGIFT STREET, BLACK, NEWPORT ST, LAMBETH WALK, GIBSON ROAD, SALAMANCA ST, RANDALL ROAD, CITADEL PLACE, VAUXHALL WALK, TYERS STREET, JONATHAN STREET, PRINCE, VAUXHALL STREET, CARLISLE, LAMBETH]

0   100   200 m

★ Blackfriars Bridge
D1

Ce pont coloré aux arches d'acier surbaissées est orné de motifs végétaux et d'oiseaux. L'ouvrage actuel date de 1869, mais un pont existe à cet endroit depuis 1769. Il était alors le troisième à enjamber le fleuve, après London Bridge et Westminster Bridge.

★ OXO Tower C2
→ Barge House St

Ses lettres lumineuses rouges forment un repère dans l'horizon nocturne de South Bank... Ancienne centrale électrique devenue, dans les années 1920, un entrepôt frigorifique

pour Liebig, propriétaire des célèbres bouillons cubes OXO, et reconstruite alors dans un style Art déco, la tour abrite aujourd'hui des appartements, des boutiques design et un bar-restaurant panoramique.

★ National Theatre B2
→ Tél. 020 7452 3400 **Visite guidée** Tlj. 10h-17h Réserver sur www.nationaltheatre.org.uk
Une forteresse ? Non, l'un des théâtres les plus réputés de la ville. L'édifice de béton, imaginé par Denys Lasdun en 1975, dispose de trois salles accueillant des pièces avant-gardistes aussi bien que des comédies musicales. Visites guidées

des coulisses, à la découverte de la machinerie (départ du hall où se tiennent des expositions d'artistes contemporains).

★ BFI Southbank B2
→ Tél. 020 7928 3232 Tlj. 9h45-23h **Médiathèque** Mar.-dim. 12h (12h30 w.-e.)-20h **Reuben Library** Mar.-sam. 10h30-19h www.bfi.org.uk
Le British Film Institute, un haut lieu de la cinéphilie. Quatre écrans pour films, rétrospectives et grands événements, dont le London Film Festival, ainsi qu'une médiathèque où visionner des perles rares. La Reuben Library y détient sans doute la plus importante collection

au monde de livres sur le cinéma et la télévision.

★ Southbank Centre B2
→ Belvedere Road
Tél. 020 7960 4200
www.southbankcentre.co.
Oubliée, la polémique q
entoura ce centre artistiq
dès sa création (1951) :
désormais, le béton froi
et gris s'intègre au paysa
de South Bank, et la qua
de ses performances fait
l'unanimité. Pour preuve
les visiteurs raffolent de
grands espaces intérieu
baignés de lumière, rén
en 2017, pour voir une
exposition de photos, d'
contemporain, écouter

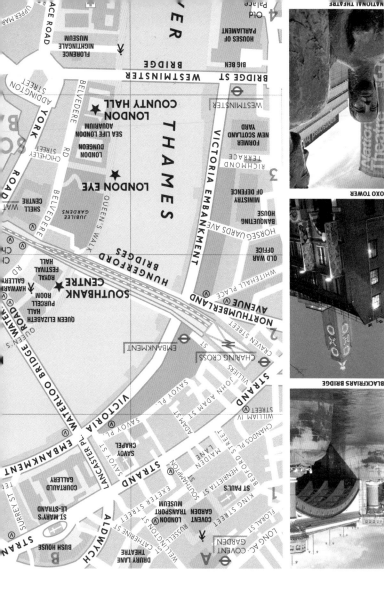

Du passé de ces quartiers, peu de traces. Les marécages ont été asséchés il y a bien longtemps. La dernière guerre a dévasté les ateliers et les fabriques qui au XIXᵉ s. avaient transformé les villages en important centre industriel. Des décombres ont surgi des équipements culturels capables de rivaliser avec ceux du Nord. Le South Bank Centre construit dans les années 1950-1960 a le premier relevé le défi, et les aménagements se sont depuis multipliés : théâtre, cinémas, musées... La balade de Queen's Walk se poursuit d'ouest en est, dévoilant les secrets de la rive et offrant de belles vues sur celle d'en face.

MESON DON FELIPE

BALTIC

RESTAURANTS

Meson Don Felipe D3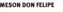
→ 53 The Cut
Tél. 020 7928 3237
Lun.-sam. 12h-23h
Boquerones (anchois marinés), sardines, tortillas... L'un des meilleurs bars à tapas de Londres, où les guitares résonnent, pris d'assaut ! Tapas 5£.

Masters Super Fish D4
→ 191 Waterloo Road
Tél. 020 7928 6924
Lun. 17h30-22h30 ; mar.-sam. 12h-15h, 17h30-22h30 (23h ven.)
Murs en briques rouges, bibelots surannés et photos d'un autre âge... Rien de très attrayant dans le décor de ce fish & chips, mais une fois attablé, on n'a plus d'yeux que pour les gargantuesques portions ! Plat 7,50-10,50£.

The Anchor & Hope D3 ❸
→ 36 The Cut
Tél. 020 7928 9898
Lun. 17h-23h, mar.-sam. 11h-23h, dim. 12h30-15h (sur rés.)
Le fleuron des gastropubs de la rive sud ! Décor sobre mais chaleureux, pour une cuisine du jour aux accents de terroir : salade d'escargots et bacon, gibier au vin rouge, agneau de sept heures pour 2-3 pers. Plat 10-17£.

The Cut D3 ❹
→ Young Vic, 66 The Cut
Tél. 020 7928 4400
Lun.-sam. 12h-23h
Bar Lun.-ven. 8h-dernier client, sam. 9h-dernier client
Jeune et inspiré, à l'image du Young Vic Theatre, qui l'abrite. Belle salle contemporaine ou terrasse pour une salade, un plat simple et bio (fish cakes, burger, risotto), un brunch ou juste un cocktail, avec ou sans billet de théâtre ! Plat 11-16,50£.

House Restaurant B2 ❺
→ National Theatre
Tél. 020 7452 3600 Lun.-sam. 17h-23h (12h-14h30 lors des spectacles matinaux)
La table épurée du National Theatre, aux lignes design, régale son public d'une cuisine de brasserie parfaitement exécutée : filet mignon de porc aux épinards, sole rôtie, joue de bœuf à la bourguignonne, steak tartare... Plat 16-24£.

Baltic D3 ❻
→ 74 Blackfriars Road
Tél. 020 7928 1111
Lun. 17h30-23h15 ; mar.-sam. 12h-15h, 17h30-23h15 ; dim. 12h-16h30, 17h30-22h30
Les verrières de l'ancienne carrosserie inondent

ITOR & COOK

CUBANA

THE OLD VIC

de lumière une salle froide comme la Baltique... Pour se réchauffer, vodkas de tous tonneaux, *gravad lax*, *pierogi* (raviolis polonais), blinis et bœuf Stroganoff font voile à la rescousse ! Concerts de jazz le dim. soir. Plat 17,50-20,50£.

PÂTISSERIE, CAFÉS, BARS

Konditor & Cook C3 **7**
→ 22 Cornwall Road
Tél. 020 7261 0456
Lun.-ven. 7h30-19h,
sam. 8h30-18h, dim. 11h-17h
Une pâtisserie artisanale à 3 min de Waterloo Station : scones, *Curly Whirly Cake* chocolat-vanille, brownies et *Magic Cakes* colorés.

Scooter Caffè C4 **8**
→ 132 Lower Marsh
Tél. 020 7620 1421
Lun.-ven. 8h30-23h (oh ven.),
w.-e. 10h-oh (23h dim.)
Dans un ancien atelier de réparation de Vespa, un café bohème au mobilier dépareillé pour prendre un (excellent) café, sortir sa *lunch box* ou boire un verre.

Fire Station C3 **9**
→ 150 Waterloo Road
Tél. 020 7272 5938 Lun.-ven.
7h-23h (oh jeu.-ven.),
w.-e. 10h-oh (22h30 dim.)
Un pub à succès, aménagé dans une ancienne

caserne de pompiers ! Excellent choix de bières pression et de vins, *english breakfast*, burgers et pizzas au feu de bois.

Cubana C3 **10**
→ 48 Lower Marsh
Tél. 020 7928 8778
Lun.-ven. 12h-oh (1h mer.-jeu. ; 3h ven.), sam. 13h-3h,
dim. 15h-22h
Boissons et rythmes ensoleillés, dans un mic-mac de bondieuseries, chaises colorées, portraits du Che et photos de Cuba. Cocktails, bières, vins et les incontournables tapas. *Happy hour* entre 16h et 19h, salsa ven. et sam. soir.

OXO Tower Bar C2 **11**
→ OXO Tower Wharf, Barge House St Tél. 020 7803 3888
Lun.-sam. 11h-23h (oh ven.-sam.), dim. 11h-22h30
Brasserie Tlj. 12h-23h
(22h dim.) *Restaurant*
Lun.-sam. 12h-15h,
18h (17h30 sam.)-23h ;
dim. 12h-15h30, 18h30-22h
Au 8e étage de la tour OXO, vue d'avion sur la Tamise et la City, et cocktails raffinés. Jazz *live* le soir à la brasserie attenante.

THÉÂTRES, CINÉMA

The Old Vic C3 **12**
→ The Cut Tél. 0844 871 7628
www.oldvictheatre.com
Dans une belle salle

à l'italienne, des mises en scène classiques, mais sûres.

Young Vic D3 **13**
→ 66 The Cut
Tél. 020 7922 2922
www.youngvic.org
L'un des tremplins de la nouvelle génération de dramaturges londoniens !

BFI IMAX C3 **14**
→ 1 Charlie Chaplin Walk
Tél. 033 0333 7878 (rés.)
www.bfi.org.uk/bfi-imax
Le plus grand écran du pays (20 x 26 m) !

SHOPPING

Radio Days C3 **15**
→ 87 Lower Marsh
Tél. 7904 167798
Jeu.-sam. 12h-20h
Dans ce temple rétro, on déniche, sur fond de musique jazzy, téléphones multicolores en bakélite, bijoux vintage et fripes (1920-1960) en parfait état, parfois conservés dans leur emballage d'origine !

Gramex C3 **16**
→ 104 Lower Marsh (accès par la Book Warehouse)
Tél. 020 7401 3830
Lun.-sam. 11h-19h
Dans ce légendaire repaire d'amateurs de musique classique et de jazz, les mélomanes aiment à bavarder, assis dans les

grands fauteuils au fond de la boutique. Vinyles, CD d'occasion et conseils !

OXO Tower Design Shops C2 **17**
→ OXO Tower Wharf, Barge House St
Mar.-dim. 11h-18h
Une ruche de boutiques-ateliers de designers indépendants qui proposent, pour certains, leurs créations en exclusivité. Soieries tissées main, vêtements, porcelaine ou mobilier.

Gabriel's Wharf C2 **18**
→ 56 Upper Ground
Quelques mètres carrés de quai préservés où trouver pimpantes boutiques d'artisanat et terrasses de café : dès que le soleil pointe, le monde accourt.

Nordic Nic Nac
→ 14 Gabriel's Wharf
Tél. 020 3489 3031
Tlj. 11h-17h (18h sam.)
Articles pour enfants inspirés de Scandinavie, pour un hiver cosy : livres, peluches, vêtements et plaids.

Ganesha
→ 3-4 Gabriel's Wharf
Tél. 020 7928 3444
Tlj. 11h30-19h
Coussins, tuniques, accessoires... d'artisanat indien.

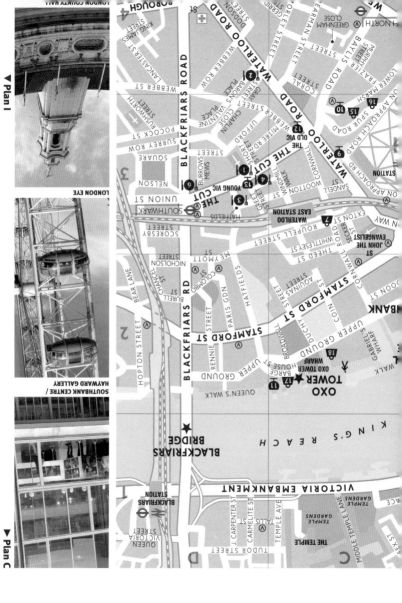

SEA LIFE LONDON AQUARIUM

IMPERIAL WAR MUSEUM

ncert gratuit à midi
nplement boire
re. Le week-end,
eet food market très
anime les lieux.
Festival Hall
alle de concert dans
e des années 1950, à
ustique exceptionnelle.
ammation variée
ut classique.
n **Elizabeth Hall**
à la danse,
usique classique
opéra.
ll Room
etite salle intime
assister à des débats
es conférences.
ard Gallery
ton brut pour de l'ultra-

contemporain ! Dans un
bâtiment des années 1960,
la galerie accueille
de grandes expositions
de peinture, de sculpture
et de photographie.
★ **London Eye** B3
→ *Queen's Walk*
Tél. 0871 781 3000 (rés.)
Horaires : www.londoneye.com
Sur la plus grande roue
d'Europe, un tour de 40 min
pour s'élever à 135 m,
et contempler Londres
d'en haut. Par beau
temps, panorama dégagé
à 40 km ! Réserver.
★ **London
County Hall** B3
→ *Riverside Building,
Queen's Walk*

London Dungeon
*Lun.-mer., ven. 11h-17h ;
jeu. 11h-17h ; w.-e. 10h-18h*
Cet imposant édifice en
pierre de Portland, dessiné
par Ralph Knott, fut jusqu'en
1986 le siège du Greater
London Council (GLC).
Derrière son élégante façade
baroque, un aquarium,
des restaurants, des hôtels
et le nouveau London
Dungeon, un musée
de l'horreur interactif,
sur fond d'histoire anglaise.
**Sea Life London
Aquarium** B3
→ *Tél. 0871 663 1678*
*Horaires sur
www2.visitsealife.com/london*
Pour caresser des raies,

assister au repas des
requins et découvrir des
poissons de mer et d'eau
douce de tous les climats.
★ **Imperial War
Museum** C5
→ *Lambeth Road*
Tél. 020 7416 5000
Tlj. 10h-18h
La vie des civils durant
les deux guerres mondiales,
du travail des femmes
aux couvre-feux, alertes
aériennes et messages
de propagande... Objets,
documents d'époque,
reconstitutions avec son et
lumière, dont une tranchée
de 1914-1918, et une
exposition bouleversante
sur l'Holocauste.

THE SHARD

SOUTHWARK CATHEDRAL

SHAKESPEARE'S GLOBE EXHIBITION

★ **Tower of London** E1
→ *Tél. 020 3166 6000*
Mars-oct. : tlj. 9h (10h dim.-lun.)-17h30 ; nov.-fév. : tlj. 9h (10h dim.-lun.)-16h30
Guillaume le Conquérant la fit bâtir pour s'assurer le contrôle de la Tamise. La redoutable forteresse servit aussi de prison durant huit siècles. Aujourd'hui, les Yeomen Warders en habit Tudor veillent toujours sur le fabuleux trésor de la Couronne, les insignes du sacre... et la foule des visiteurs !

★ **St Katharine Docks** F1
→ *50 St. Katharine's Way*
Tél. 020 7264 5287
Il fait bon flâner sur les docks de l'unique port de plaisance de Londres, où tanguent de surprenants navires. Boutiques et pubs sont au rendez-vous.

★ **Tower Bridge** F1
→ *Tél. 020 7403 3761*
Tour nord Avr.-sep. : tlj. 10h-18h ; oct.-mars : tlj. 9h30-17h30
Symbole de Londres autant que Big Ben, sa singulière silhouette rappelle la puissance maritime de l'ère victorienne, lorsque l'intense trafic sur la Tamise nécessitait des ponts mobiles laissant passer les navires. Les deux tours néogothiques dissimulent un système hydraulique complexe utilisé pour lever les deux tabliers à bascule. Un musée retrace l'histoire du pont. Vue splendide de la passerelle, aménagée à 42 m au-dessus de l'eau et dont une section comporte un sol en verre !

★ **City Hall** E2
→ *Queen's Walk*
Tél. 020 7983 4000
Lun.-ven. 8h30-18h (17h30 ven.)
L'architecte Norman Foster a imaginé pour le nouvel hôtel de ville, où siègent la Greater London Authority et ses organes (London Assembly et Mayor of London), un surprenant building en forme de bulbe incliné (2002). À l'intérieur, une surprenante rampe hélicoïdale mène à la salle des débats.

★ **HMS Belfast** D1
→ *The Queen's Walk*
Tél. 020 7940 6300
Mars-oct. : tlj. 10h-18h ; nov.-fév. : tlj. 10h-17h
Pour découvrir la vie des marins à bord d'un crois. Celui-ci fut en service de 1938 à 1963, et prit notamment part à la gu. de Corée de 1950 à 1952

★ **Fashion and Tex Museum** D2
→ *83 Bermondsey St*
Tél. 020 7407 8664, Mar.-di 11h-18h (20h jeu. ; 17h dim.
Sis dans un bâtiment bicolore du mexicain Ric Legorreta (2001), un mu

TABARD GARDENS

TABARD STREET
PILGRIMAGE STREET
GREAT DOVER ST
COLE ST
SWAN ST
TRINITY ST
TRINITY CH. SQUARE
HARPER

LONG LANE

CROSBY ROW
POR STI

HANKEY PL
NEWCOMEN STREET
GREAT MAZE

SOUTHW

BOROUGH HIGH STREET ST GEORGE
TENNIS ST
MERMAID CT
BOROUGH HIGH STREET

GUY'S HOSPITAL
10
BOROUGH HIGH STREET
MAIDSTONE BLDGS MEWS
ST MARGARET CT
REDCROSS WAY
UNION STREET

THEA
OLD
BEDALE STREET
BOROUGH MARKET
3
14
SOUTHWARK STREET
SOUTHWARK STREET

SOUTHW CATHEDR
7
WINCHESTER WK
MONTAGUE CLO
PARK ST
MAIDEN LANE
THRALE ST

LONDON
GOLDEN HINDE II
CATHEDRAL STREET
CLINK STREET
STONEY ST
VINOPOLIS
PARK STREET
GREAT GUILDFORD ST
ZOAR ST

FISHMON HALL
WATERMAN'S WALK
WALBROOK WHARF

BOROUGH ROAD
LONDON
SCOVELL ROAD
STONES END STREET
GREAT SUFFOLK ST
TOMLINSON ST
BITTERN ST
SUDREY ST
SOUTHWARK BRIDGE ROAD
LANT STREET
TRUGWELLER ST
MARSHALSEA RD
LITTLE DORRIT COURT
AYRES ST
UNION STREET

LIBRARY ST
KING JAMES ST
WEBBER STREET
LANCASTER STREET
RUSHWORTH ST
KINGS BENCH ST
POCOCK ST
SUFFOLK STREET
GLASSHILL STREET
GREAT SUFFOLK STREET
SAWYER ST
POCOCK ST
LOMAN ST
COPPERFIELD
SURREY ROW
GAMBIA STREET

NELSON SQUARE
SCORESBY ST
UNION STREET
DOLBEN ST
GT SUFFOLK ST
BEAR LANE
PRICE'S ST
BURRELL ST
EWER ST
LAVINGTON ST
CHANCEL STREET
HOPTON STREET
SOUTHWARK STREET

Peabody Estate
SUMNER ST
EMERSON ST
NEW GLOBE WALK
BANKSIDE
TATE MODERN ★
9
BANKSIDE
SUMNER STREET
HOLLAND ST

SOUTHWARK BRIDGE ROAD
BANKSIDE
SHAKESPEARE'S GLOBE EXHIBITION ★
SOUTHWARK BRIDGE

MILLENNIUM BRIDGE ★

3
B
A
C

CITY HALL

TOWER BRIDGE

TOWER OF LONDON

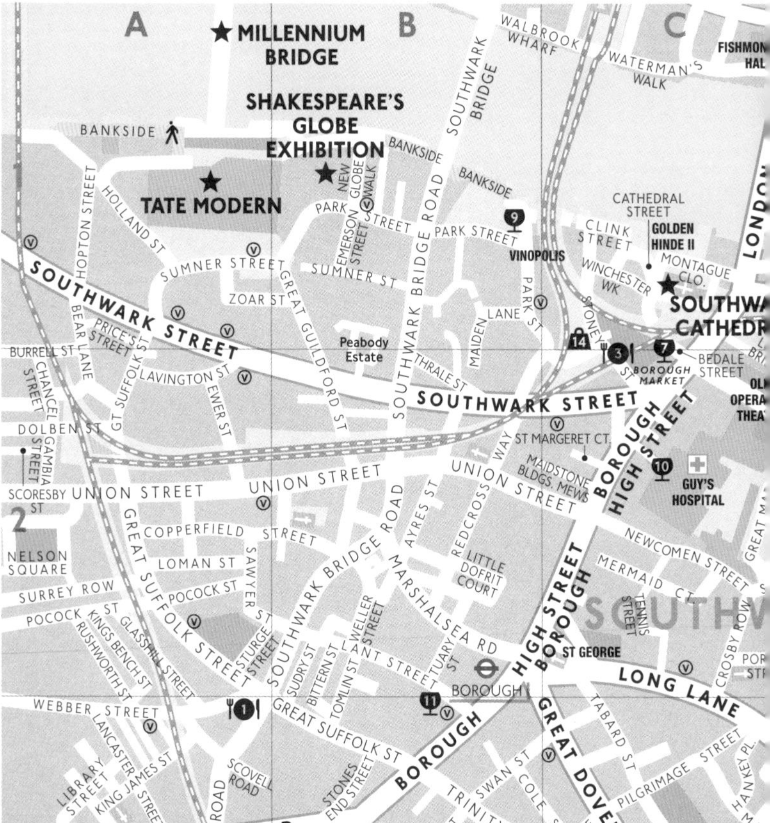

Parent pauvre, ce quartier n'avait reçu en héritage que maisons closes, tavernes et théâtres. Le commerce maritime lui apporta un temps la prospérité, mais avec la fermeture des docks dès 1970, il déclina de nouveau. À présent, réhabilitations et innovations se succèdent, de la Tate Modern au City Hall, en passant par The Shard (le plus haut gratte-ciel du pays). Restaurants et cafés en vogue vibrent autour de Borough Market jusqu'à Bermondsey Street, rue d'entrepôts conquise par les lofts. Le long de la Tamise, la promenade aménagée de Queen's Walk, dont les abords ont séduit une population aisée, relie Tower Bridge au London Eye.

M. MANZE

BOROUGH MARKET

RESTAURANTS

El Vergel A3 🍴❶
→ 132 Webber St
Tél. 020 7401 2308 Lun.-ven.
8h-15h, w.-e. 10h-16h
Salades et sandwichs mexicains à succès, dans la salle intime et rustique de ce traiteur latino. Spécialité : la *torta mexicana sandwich* (guacamole, poulet et haricots). Plat 3,50-7,50£.

M. Manze D3 🍴❷
→ 87 Tower Bridge Road
Tél. 020 7407 2985 Lun.-jeu.
10h30 (11h lun.)-14h, ven.-sam. 10h-14h30 (15h sam.)
Le *pie & mash* et les *jellied eels* (anguilles en gelée), devenus rares, incarnent à eux seuls la tradition culinaire londonienne. À découvrir dans une salle aux airs de cantine. 4-6£.

Borough Market C2 🍴❸
→ 8 Southwark St
Tél. 020 7407 1002
Lun.-mar. 10h-17h (restaurants), mer.-jeu. 10h-17h, ven. 10h-18h, sam. 8h-17h
Le plus ancien marché alimentaire de Londres (1756), niché sous les voies ferrées, derrière Southwark Cathedral. Fréquentés par des chefs médiatiques, ses étals d'épices et de produits frais font fureur ! À midi, on y déjeune de délicieux *pies*, grillades ou bagels. Dès 5£.

Maria's Market Café
→ Mer.-sam. 5h-14h30 (16h jeu.-ven. ; 17h sam.)
Un *greasy spoon* (bouibouï) réputé, où les travailleurs viennent à l'aube.

Maltby Street Market F3 🍴❹
→ Ropewalk, Maltby St
W.-e. 9h (11h dim.)-16h
Plus confidentiel et plus *hype* que Borough Market, ce marché fait le plein le w.-e. grâce à ses stands de *street food* : burgers, crêpes, couscous, falafels... Dès 5£.

Tanner & Co D2 🍴❺
→ 50 Bermondsey St
Tél. 020 7357 0244
Lun.-jeu. 12h-17h ;
ven. 12h-15h, 19h-22h
Une salle claire et aérée pour une sélection de plats et de *nibbles* (snacks) bien d'ici : mousse de foie de volaille à la gelée de madère, ragoût de lapin, *black pudding*, pies, etc. Plat 14-25£.

The Butlers Wharf Chop House F2 🍴❻
→ Butlers Wharf 36E Shad Thames Tél. 020 7403 3403
Bar Tlj. 12h-23h (22h dim.)
Restaurant Tlj. 12h-16h, 18h-23h (22h dim.)
Face au Tower Bridge, le lumineux restaurant

BY STREET MARKET   GLADSTONE ARMS   BERMONDSEY SQUARE MARKET

de Terence Conran sert une cuisine résolument *british* ! Moules du Shetland vapeur, agneau du Yorkshire à la gelée menthe-groseille, crème au citron et son *shortbread* (sablé au beurre), sur des tables nappées de blanc. La porte à côté, le Food Store, épicerie fine et traiteur de la même maison. Plat 15,50-38£.

BAR À VINS, PUBS, CLUB

Bedales of Borough Market C1 ⑦
→ 5 Bedale St
Tél. 020 7403 8853
Lun.-sam. 10h (9h30 sam.)-23h, dim. 12h30-21h
Petit bar à vins, pour déguster des crus du monde entier avec des tapas, tout en écoutant, à l'occasion, un concert (vers 19h).

Dickens Inn F1 ⑧
→ St Katharine's Way
Tél. 020 7488 2208 Tlj. 11h-23h
Une taverne bondée mais à la vue fantastique sur les docks et sur Tower Bridge.

The Anchor B1 ⑨
→ 34 Park St Tél. 020 7407 1577
Lun.-sam. 11h-23h
(oh jeu.-sam.), dim. 12h-23h
Ce vieux pub (1676) à la façade pimpante étale sa grande terrasse et ses conviviales tables en bois au bord de la Tamise.

George Inn C2 ⑩
→ 77 Borough High St
Tél. 020 7407 2056 Lun.-sam. 11h-23h, dim. 12h-22h30
Une auberge classée (1677) devenue pub. Sa double galerie, l'une des dernières à Londres, donne sur une jolie cour pavée. À l'étage, restaurant dans les anciennes chambres ; au rdc, plusieurs petites salles reliées entre elles par l'extérieur... Chercher où commander sa pinte !

Gladstone Arms B3 ⑪
→ 64 Lant St
Tél. 020 7407 3962
Lun.-sam. 12h-23h (oh ven.-sam.), dim. 16h-22h30
Un pub de quartier atypique et décontracté dans une maison à deux étages. Au rdc, le bar avec concerts et sets de DJ, et au premier, une salle cosy pour papoter au calme ou jouer à des jeux de société. Bières, cidres, *pies*...

Ministry of Sound A3 ⑫
→ 103 Gaunt St
Tél. 020 7740 8600
Ven. 22h30-6h, sam. 23h-7h
www.ministryofsound.com
Plus qu'un club, c'est un son, une marque et des *mix* de légende.

Garage, house ou R'n'B, les DJ du MoS attirent les clubbers du monde entier sur trois dance-floors.

GALERIE D'ART

WhiteCube D3 ⑬
→ 144-152 Bermondsey St
Tél. 020 7930 5373
Mar.-dim. 10h (12h dim.)-18h
Dans cet espace cubique et épuré de 5 000 m², un carrefour pour les artistes phares de la création contemporaine anglaise et internationale (Damien Hirst, Tracey Emin, Liza Lou, Zhang Huan...).

SHOPPING

Neal's Yard Dairy C1 ⑭
→ 6 Park St Tél. 020 7367 0799
Lun.-sam. 10h-19h
Les meules de *farmhouse cheese*, spécialité de ce fromager, s'empilent et s'affinent jusqu'au plafond, surplombant les clients venus les découvrir.

Hay's Galleria D1 ⑮
→ Counter St
Tél. 020 7403 3583
Entre les entrepôts de beurre et d'épices de Hay's Wharf (XIXe s.) en brique rouge et pierre claire superbement rénovés, une voûte en berceau vitrée, portée par une frêle armature d'acier culminant à 30 m de haut. Elle abrite une galerie de cafés, restaurants et boutiques.

Lassco F3 ⑯
→ 41 Maltby St
Tél. 020 7394 8061 Tlj. 8h30 (9h sam. ; 12h dim.)-17h
Faire du neuf avec des matériaux patinés par le temps, voilà la devise de ce vaste entrepôt ouvert sur le Maltby Street Market : meubles, bijoux, vêtements, vaisselle, on trouve de tout ! Aussi des antiquités. Charmant café.

Bermondsey Square Market E3 ⑰
→ Bermondsey Sq.
Brocante Ven. 6h-14h
Farmers' Market Sam. 10h-14h
Chaque ven., les stands d'antiquités envahissent cette placette où l'on croise les professionnels en quête de bonnes affaires, dès l'aube ! Le sam., place aux produits frais des fermes du pays.

Bermondsey Fayre E3 ⑱
→ 212 Bermondsey St
Tél. 020 7403 2133
Mar.-jeu. 12h-18h (18h30 jeu.), ven.-sam. 11h (12h sam.)-18h
Cette adorable boutique regorge d'objets uniques de créateurs locaux : illustrations, vêtements pour enfants, bijoux et surprenants accessoires.

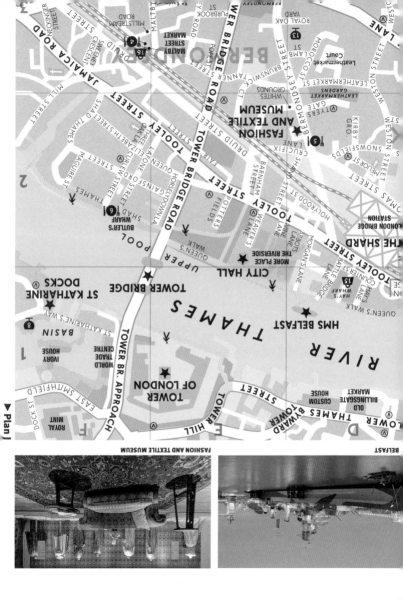

FASHION AND TEXTILE MUSEUM

BELFAST

▶ Plan J

MODERN

MILLENNIUM BRIDGE

mode, fondée en
par la fantasque
e Zandra Rhodes. On y
uvre le travail de grands
riers, illustrateurs,
graphes, et on observe
ution de la silhouette
ine au fil des époques.

he Shard D2
London Bridge St
44 499 7111 (rés.)
t. : tlj. 10h-22h ;
ars : tlj. 10h-19h
u.-sam.)

ante "épine" de verre
o m de haut, le Shard
nzo Piano (2012) a
siné la *skyline* de la
scension jusqu'au 72e
, à 244 m, pour une
neuse vue à 360° !

★ Southwark Cathedral C1
→ *London Bridge*
Tél. 020 7367 6700
Tlj. 8h (8h30 w.-e.)-18h
Mosaïques romaines, portail
normand, chœur gothique...
Maintes fois modifiée,
la cathédrale raconte 2 000
ans d'histoire, jusqu'aux
rénovations de l'orée du
IIIe millénaire. Du haut de sa
tour, Hollar grava sa fameuse
Long View of London en 1647.

★ Shakespeare's Globe Exhibition B1
→ *21 New Globe Walk*
Tél. 020 7902 1400 **Exposition
et visite guidée** *Tlj. 9h-17h*
Visite du mythique théâtre
de Shakespeare, le Globe

(1599), et du musée relatant
sa reconstruction,
commanditée par l'acteur et
réalisateur Sam Wanamaker
(1919-1993) : dix ans de
travaux, avec matériaux
et techniques du XVIIe s.

★ Tate Modern A1
→ *Bankside Tél. 020 7887 8888*
Tlj. 10h-18h (22h ven.-sam.)
En l'an 2000, Herzog & de
Meuron réalisent un musée
d'art contemporain
grandiose dans une centrale
électrique vidée de ses
turbines et dotée d'un hall
(Boiler House) de 35 m
de haut. En 2016, ils signent
une pyramide asymétrique
(Switch House), striée de
claustras graphiques filtrant

la lumière, et coiffée
d'un fabuleux *rooftop*.
D'immenses espaces pour
une très riche collection
exposée par roulement
et par thématique,
des installations,
des performances, etc.
Expositions phares.

★ Millennium Bridge A1
Conçue par Foster + Partners,
cette passerelle piétonne
(2000) tire un trait d'union
entre la Tate Modern et
la City. Le ruban d'acier de
325 m, seulement soutenu
par deux piles, ressemble la
nuit à un rayon laser, ouvrant
une perspective magique
sur Saint-Paul.

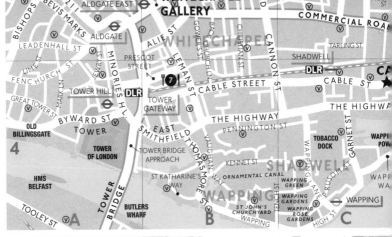

QUEEN ELIZABETH OLYMPIC PARK

WHITECHAPEL GALLERY

★ The Old Truman Brewery B3

➜ *91 Brick Lane*
Tél. 020 7770 6000
trumanbrewery.com
Épicentre de Brick Lane, les entrepôts de cette brasserie du XVIIIᵉ s. forment un immense réseau urbain aux allures de squat. S'y côtoient des ateliers de graphistes, des boutiques alternatives, un bar underground et une salle d'exposition. En fin de semaine, le Vintage Market (*jeu.-dim.*), le Sunday Upmarket (*dim.*) et le Backyard Market (*w.-e.*) prennent d'assaut parkings et hangars.

★ The Geffrye A1

➜ *136 Kingsland Road*
Tél. 020 7739 9893 Mar.-dim. 10h-17h **Jardins** *Avr.-oct.*
Immersion dans la vie des familles britanniques de la classe moyenne. Les onze salles et cinq jardins superbement décorés de cet hospice du XVIIIᵉ s. racontent l'évolution de l'habitat du XVIIᵉ s. à nos jours.

★ V&A Museum of Childhood C2

➜ *Cambridge Heath Road*
Tél. 020 8983 5200
Tlj. 10h-17h45
Dans une impressionnante halle de brique et de fer, le musée retrace, à l'aide d'une myriade de jouets, vêtements et documents, l'histoire de l'enfance

à travers les époques. Mention spéciale pour la collection de maisons de poupées du XVIIᵉ au XXIᵉ s.

★ Sutton House hors plan C1

➜ *2-4 Homerton High St Mer.-dim. 12h-17h*
Lambris de chêne, cheminées sculptées, peintures en trompe-l'œil... Bâtie en 1535, l'une des rares maisons en brique du temps des Tudor témoigne de la vie d'une famille aisée sous Henri VIII.

★ Victoria Park D1

➜ *Grove Road*
Tlj. 7h-coucher du soleil
Le plus ancien parc public de Londres ! Aménagé entre

1842 et 1846 par Pennethorne, le "Parc du peuple" fut un haut de rassemblement politique : la classe ouv venait écouter et prenai la parole sur moult suje Aujourd'hui, ses 86 ha réunissent pelouses, canaux, étangs, terrains sport, et même une pag chinoise ! Festivals en é

★ Queen Elizabeth Olympic Park

hors plan F1
➜ *Olympic Park Montfichet Road ArcelorMittal Orbit Lun.- 11h-17h, w.-e. 10h-18h*
Créé pour les Jeux olympiques de 2012,

J

THE GEFFRYE

THE OLD TRUMAN BREWERY

East End

L'East End londonien, toujours plus en vue ! La créativité a envahi les vieux entrepôts industriels : boutiques tendance, friperies et bars noceurs fourmillent autour de l'Old Truman Brewery et le long de Brick Lane, alternant avec les restaurants indiens, au cœur du cosmopolite "Banglatown". À l'est frémissent Bethnal Green et Hackney, quartiers populaires prometteurs où habite la jeunesse bohème et artiste, tandis que Stratford s'enorgueillit de son vaste Queen Elisabeth Olympic Park. Au sud, portés par le succès de Canary Wharf, enclave aux buildings futuristes, s'étendent les anciens docks reconvertis.

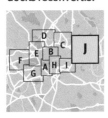

BRAWN

TRAMSHED

RESTAURANTS

E. Pellicci B2 🍴❶
→ 332 Bethnal Green Road
Tél. 020 7739 4873
Lun.-sam. 7h-16h
Un *must* dans ce quartier ouvrier, tenu par une joviale famille italienne. Cuisine maison soignée, dans une petite salle aux tables en formica et ornée d'un lambris Art nouveau : *full English breakfast*, pâtes, lasagnes, grillades. Plat 7-8,50£.

Crate Bar and Pizzeria hors plan F1 🍴❷
→ 7 Queens Yard
Tél. 020 8533 3331
Tlj. 12h-23h (oh ven.-sam.)
Dans une friche industrielle au bord du canal, les délicieuses pizzas s'arrosent des bières brassées sur place. Très *hype* ! Pizza 9-12£.

Pizza East A2 🍴❸
→ 56 Shoreditch High St
Tél. 020 7729 1888
Lun.-ven. 12h-oh (1h jeu. ; 2h ven.), w.-e. 9h-2h (oh dim.)
Béton, tuyaux apparents et parquet brut pour des antipastis et des pizzas à savourer autour de comptoirs en inox ou sur de longues tables à partager... Plat 9-17£.

**St John
Bread & Wine** A3 🍴❹
→ 94-96 Commercial St
Tél. 020 7251 0848
Tlj. 8h-23h *Petit déj.* Tlj. 8h-12h
La boulangerie du chef Fergus Henderson, célèbre pour ses petits déjeuners, offre aussi son espace épuré à une cuisine de terroir haute en goût. Petit déj. 4,50-9£ ; plat 9-20£.

Brawn B2 🍴❺
→ 49 Columbia Road
Tél. 020 7729 5692
Lun. 18h-23h ; mar.-sam. 12h-15h, 18h-23h ; dim. 12h-16h
On se croirait dans un bistrot de village : murs chaulés, mobilier usé, baies vitrées et une carte de saison qui se soucie de l'origine des ingrédients. Menu unique le dim. 28£, plat 12-23£.

Tramshed A2 🍴❻
→ 32 Rivington St
Tél. 020 7749 0478
Lun.-ven. 11h30-23h (oh30 mer.-ven.), w.-e. 10h30-oh30 (21h30 dim.)
Une vache et un coq dans un cube transparent, œuvre de Damien Hirst, trônent au centre de cet ancien hangar à tramway : ultra-branché ! Mark Hix y signe une carte toute viande rouge et volaille. Poulet à partager 29,50£ ; plat 15-18£.

Café Spice Namasté B4 🍴❼
→ 16 Prescot St
Tél. 020 7488 9242

ETHNAL GREEN WORKING MEN'S CLUB   **CARGO**   **COLUMBIA ROAD FLOWER MARKET**

Lun.-ven. 12h-15h, 18h15-22h30 ; sam. 18h30-22h30
Une fantaisie néoromane du XIXᵉ s., redécorée à la Bollywood ! *Tandoori* et spécialités de Goa, dont le *dhaansaak* (curry d'agneau et lentilles) et le curry de gambas à la noix de coco. Pour le dessert, délicieux *kulfi* (glace indienne) à la pistache. Plat 17-20£.

CAFÉS, PUB

Cereal Killer Cafe
A2 **8**
→ *139 Brick Lane*
Tél. 020 3601 9100
Tlj. 8h-20h (21h jeu.-sam.)
Boîtes de céréales du sol au plafond : le choix est cornélien entre les 120 variétés à garnir de lait, fruits et bonbons ! À croquer sur un lit devant de vieux dessins animés !

Barber & Parlour
A2 **9**
→ *64-66 Redchurch St*
Tél. 020 3376 1777
Tlj. 9h (10h dim.)-23h
Du bonheur à tous les étages. Au rdc, un café très cool pour siroter smoothies et jus très frais. Au premier, un institut pour se faire une beauté : barbe et moustache, manucure ou brushing ? Enfin, au sous-sol, la superbe salle de

l'Electric Cinema (*www.electriccinema.co.uk*) !
The Gun
hors plan F4 **10**
→ *27 Coldharbour*
Tél. 020 7515 5222
Lun.-sam. 12h-15h (16h sam.), 18h-22h30 ; dim. 12h-16h, 18h30-21h30
Niché dans l'une des ruelles préservées de l'Isle of Dogs, ce vieux pub jouit d'un panorama surréel sur les docks. Cuisine du pays.

BARS, CENTRES CULTURELS, CLUBS

Viktor Wynd's Museum of Curiosities
C1 **11**
→ *11 Mare St*
Tél. 020 7998 3617
Mer.-dim. 12h-22h30
Un bar à cocktails décadent où siroter son breuvage au milieu d'animaux naturalisés. Au sous-sol, un cabinet de curiosités peuplé de crânes, de squelettes en cage et de poupées inquiétantes...
93 Feet East B3 **12**
→ *150 Brick Lane*
Tél. 020 7770 6006
*Mar.-dim. 17h-1h
(3h ven.-sam. ; 22h30 dim.)*
www.93feeteast.co.uk
Une brasserie réhabilitée, pour un début de soirée très musical. Dans le bar

aux murs couverts de graffitis, un DJ mixe de l'électro. Concerts rock de qualité.
Cargo A2 **13**
→ *83 Rivington St*
Tél. 020 7739 3440
Tlj. 12h-1h (3h ven.-sam. ; oh dim.)
Dub, reggae, disco, hip-hop... Les concerts s'enchaînent dans ce bar décontracté, qui a investi les arches d'un pont.
Rich Mix A2 **14**
→ *35-47 Bethnal Green Road*
Tél. 020 7613 7498
Lun.-ven. 9h-22h (et jusqu'à 1h, selon événement), w.-e. 10h-1h
www.richmix.org.uk
Dans une ancienne usine de confection, un centre culturel, laboratoire de tendances : cinéma d'art et essai, théâtre, danse, expos, concerts en tous genres, bars...
The Bethnal Green Working Men's Club
B2 **15**
→ *42-44 Pollard Row*
Tél. 020 7739 7170
www.workersplaytime.net
Créé en 1953 pour se défouler après le travail, ce club délirant n'a pas bougé depuis 1971 ! Serveuses en perruques choucroutées, pistolets à eau, shows et variétés kitsch, dans un décor ringard à souhait !

SHOPPING

Redchurch Street
A2 **16**
Enseignes pointues pour hommes.
Labour and Wait A2
→ *85 Redchurch St*
Tél. 020 7729 6253
Mar.-dim. 11h-18h
Objets intemporels pour la maison et le jardin.
Cheshire Street
B2 **17**
Une rue de friperies et de boutiques *arty*.
Son of a Stag B3 **18**
→ *9 Dray Walk*
Tél. 020 7247 3333 Lun.-sam. 10h30-19h (19h30 mer., ven. ; 20h jeu.), dim. 11h-18h
Les marques de jeans les plus introuvables (surtout japonaises) et quelques chaussures pour homme.
Columbia Road Flower Market B2 **19**
→ *Columbia Road*
Dim. 8h-15h
Bordé par de jolis cafés et d'irrésistibles boutiques, un marché aux fleurs haut en couleur.
Old Spitalfields Market A3 **20**
→ *16 Horner Sq.*
Tlj. 10h (11h sam.)-17h
Objets anciens (jeu.) et vêtements de créateurs (ven.-dim.) dans cette vaste halle au lustre victorien.

VICTORIA PARK

JSEUM OF CHILDHOOD

UM OF LONDON DOCKLANDS

CANARY WHARF

rc de 230 ha est ouvert
s : activités sportives
les anciens centres
O, jardins aménagés
les humides aux
ces végétales rares.
nquable, l'ArcelorMittal
, tour-sculpture
llique d'Anish Kapoor :
)er à 114,5 m de haut,
 rer la vue... puis
scendre en 40 s par le
ggan géant en spirale !

Whitechapel Gallery

82 Whitechapel High St
20 7522 7888
dim. 11h-18h (21h jeu.)
ée en 1901 pour
rter l'art au cœur
ast End, cette galerie

à la façade Arts & Crafts
s'est imposée comme
une institution dans la
promotion de l'art moderne.
Expositions de Nan Goldin
ou de Sophie Calle
et rétrospectives de Picasso,
Pollock, Rothko, Kahlo...

★ Cable Street Mural
C4
→ *236 Cable St*
Inspiré du réalisme social de
Diego Rivera, cet immense
mural peint par Dave
Binnington Savage entre
1979 et 1983 commémore
l'émeute de Cable Street,
qui opposa en 1936 les
chemises noires d'Oswald
Mosley aux habitants
du quartier. Ces derniers

avaient dressé des
barricades pour contrer une
marche fasciste et défendre
la communauté juive.

★ Museum of London Docklands F4
→ *Nº1 Warehouse, West India*
Quay Tél. 020 7001 9844
Tlj. 10h-18h
Dans un entrepôt désaffecté
du XIXᵉ s., toute l'histoire
de Londres à travers ce qui
a fait sa fortune : le négoce
maritime et les activités
portuaires. Vestiges romains
et vikings, maquettes
de navires, expositions sur
l'esclavage et l'âge d'or
du commerce colonial,
reconstitution de ruelles
avec bruits d'ambiance...

★ Canary Wharf F4
À la fin des années 1980,
l'activité portuaire ayant
décliné, les banques
s'emparèrent de ce quartier
en friche. Le prolongement
de la Jubilee Line en 1993
en fit la nouvelle City et le fief
de prestigieux *headquarters*,
entre les bassins toujours en
eau et ponctués d'écluses :
dédale de rues au pied
des gratte-ciel et galeries
souterraines envahis par
les cols blancs. À la sortie
de la station de métro signée
Norman Foster (1999) se
dresse One Canada Square
(1991), une tour de 235 m
de César Pelli, gainée d'acier
et éblouissante au soleil.

AÉROPORTS-VILLE

Heathrow
Piccadilly Line
→ 5,70£ 45 min
Heathrow Express
→ 22£ 15 min
Gatwick
Gatwick Express
→ 19,80£ 30 min
Stansted
Stansted Express
→ 19£ 45 min
City Airport
DLR
→ 4,90£ 35-40 min
Luton
Luton Airport Parkway
(LTN) et bus (LUA)
→ 14-15,50£ 25-55 min
Easy Bus
→ Luton, Gatwick, Stansted :
1,95-8,95£ 30 min-1h25

BUS À IMPÉRIALE

ENSEIGNE MÉTRO

SANTANDER CYCLES

106 lits en dortoirs
de 4 à 14 personnes.
12-21£/pers., double 50£.
Clink78 (D F3)
→ 78 King's Cross Road
Tél. 020 7183 9400
www.clinkhostels.com
Très central, ce rendez-vous
de voyageurs a investi
un palais de justice
de l'époque victorienne :
des dortoirs de 4 à 14 lits
à partir de 16£, 7 cellules
de prison pour 1-2 pers.,
des chambres doubles
ou triples avec ou sans sdb,
cuisine collective.
Autre adresse (Clink261)
à deux pas. À partir de 50£.
Lancaster Hall
Hotel (F E2)
→ 35 Craven Terrace
Tél. 020 7723 9276
www.lancaster-hall-hotel.co.uk
Surtout pour sa Youth Wing :
22 chambres à deux lits
petit budget, simplement
meublées, avec sdb
partagées. À deux pas
de Paddington Station. 57£.

70-100£

Qbic Hotel (J B3)
→ 42 Adler St
Tél. 020 3021 1440
qbichotels.com
Des chambres aux lits
douillets, un bar+kitchen,
un *lounge* chaleureux :
voilà un hôtel plein de peps,
de lumière, de couleurs pop,
au design durable signé par
Marc Mostert. Concerts le
soir et prêt de vélo. 70-120£.
Cherry Court
Hotel (A A5)
→ 23 Hugh St
Tél. 020 7828 2840
www.cherrycourthotel.co.uk
B & B familial. 12 chambres
minuscules, mais arrangées
avec goût, chacune avec
douche ou salle de bains.
Petit déjeuner rudimentaire
(biscuits, fruits et boissons)
à prendre "au lit". 75£.
The Luxury Inn
(hors plan **C** C1)
→ 156 Tottenham Road
M° Dalston Junction (ou bus 277)

Entre Islington et sa vibrante
Upper Street, et Dalston,
le quartier antillais et kurde
qui bouge, un ancien atelier
de confection transformé en
un petit hôtel contemporain.
Agréable salon doté
d'une cuisine à partager et
d'une grande table en bois
conviviale. À partir de 80£.
Portobello Gold (F B2)
→ 95-97 Portobello Road
Tél. 020 7460 4910/4913
www.portobellogold.com
Le toit-terrasse a été choisi
pour une scène du film
Coup de foudre à Notting Hill...
Chambres agréables
au-dessus d'un bar avec
verrière ; suite *Honeymoon*
avec lit à baldaquin
et, sur le toit, appartement
pour 6 pers. 80-115£.
Merlyn Court (G A2)
→ 2 Barkston Gardens
Tél. 020 7370 1640
www.merlyncourthotel.com
Mobilier ancien dans un
B & B donnant sur un joli
square. 90 (sans sdb)-110£.

PAR LA MANCHE...

Eurostar
→ Tél. 034 3218 6186
www.eurostar.com
Il rejoint Londres par le
tunnel sous la Manche,
au départ de Paris Gare
du Nord (2h15), de Lille
et de Calais. Arrivée à la
gare et métro St Pancras
International (**D** E3).
Navette Eurotunnel
Calais-Folkestone
→ Jusqu'à 4 départs/h,
24h/24 (embarquement
25 min, traversée 35 min)
Traversée du tunnel en
train sans quitter son
véhicule. Folkestone est
à 120 km de Londres.
Accès au terminal
d'embarquement
→ Depuis la France :
autoroute A16, sortie
42 "Tunnel sous la Manche"
Rens./Rés.
→ www.eurotunnel.com
Bateaux
Pour passagers
et voitures. Tarifs A/R
selon la durée du séjour.
DFDS Seaways
→ Tél. 02 32 14 68 50
www.dfdsseaways.fr
P&O Ferries
→ Tél. 0825 120 156
www.poferries.com
Dunkerque-Douvres
(DFDS Seaways, 2h10) et
Calais-Douvres (90 min).

VÉLO

Santander Cycles
→ Tél. 0343 222 6666
tfl.gov.uk/modes/cycling/
santander-cycles
Accès 2£/24h, gratuit 30 min
puis 2£ ttes les 30 min
Paiement par carte de crédit
Stations de vélos
en libre-service,
indiquées sur
les cartes par un "v".

AÉROPORTS

Londres compte cinq aéroports internationaux, les deux plus importants étant Heathrow et Gatwick.

Heathrow
→ *Tél. 0844 335 1801*
www.heathrow.com

Gatwick
→ *Tél. 0844 892 0322*
www.gatwickairport.com

Stansted
→ *Tél. 0844 335 1803*
www.stanstedairport.com

City Airport
→ *Tél. 020 7646 0088*
www.londoncityairport.com

Luton
→ *Tél. 0158 240 5100*
www.london-luton.co.uk

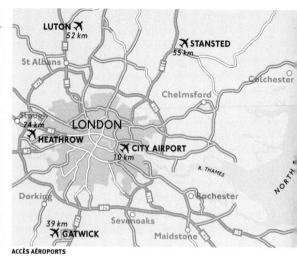

ACCÈS AÉROPORTS

Attention : à prix équivalent, l'hôtellerie est moins confortable à Londres que dans les autres capitales européennes. Toutefois le parc hôtelier est vaste et varié. Sauf mention contraire, les prix indiqués ci-dessous correspondent à une chambre double avec salle de bains (sdb) en moyenne saison, TVA et petit déjeuner inclus (la plupart du temps, un full english breakfast). Réserver à l'avance sur Internet permet de bénéficier de très intéressantes réductions ou promotions. Accès wifi dans la majorité des hôtels.

LOCATION D'APPARTEMENTS

Airbnb
→ *www.airbnb.fr*
La fameuse centrale de réservation : chambres chez l'habitant, appartements, lofts... Dans toute la ville, à tous les prix.

One Fine Stay
→ *Tél. 020 7167 2524*
www.onefinestay.com
Grand choix de magnifiques appartements, bien situés, décorés avec goût et dotés d'équipements dernier-cri.
À partir de 160£.

BED & BREAKFAST

The Bed & Breakfast Club
→ *thebedandbreakfastclub.co.uk*
Une trentaine de B & B soignés, dans de jolies demeures confortables. Autour de 120£ la chambre double avec sdb et *full english breakfast* maison !

AUBERGES DE JEUNESSE

London YHA
→ *www.yha.org.uk*
Les auberges du réseau YHA. Adhésion conseillée (20£, - de 26 ans : 10£),
sur place ou en ligne. Dortoirs à partir de 15£ selon l'auberge et la saison.
London St Pauls (C B6)
→ *36 Carter Lane*
Tél. 0345 371 9012
Chambres et dortoirs de 1 à 11 lits dans une jolie maison ancienne.
À partir de 19£/pers.
London St Pancras (D E3)
→ *79-81 Euston Road*
Tél. 0345 371 9344
Dortoirs de 2 à 6 lits, à deux pas de la gare St Pancras.
À partir de 20£/pers.
Safestay Holland Park (F C3)
→ *Holland Park*
Tél. 020 7870 9629
www.safestay.com
Une auberge de jeunesse dans Holland Park !
Dortoirs de 5 à 33 lits 15-30£/pers., double 60£.
Generator (B D1)
→ *37 Tavistock Pl.*
Tél. 020 7388 7666
www.generatorhostels.com
Une auberge de jeunesse

dans un ancien commissariat à la déco ultramoderne. En soirée, cinéma et bar avec DJ. Dortoirs de 4 à 12 lits. 16-29£/pers., double à partir de 61£ (sdb communes).

- DE 70£

Marble Arch Inn (E B4)
→ *49-50 Upper Berkeley St*
Tél. 020 7723 7888
www.marblearch-inn.co.uk
L'un des hôtels les moins chers de la ville, proche de Hyde Park. Chambres simples mais correctes.
À partir de 39£ (sans sdb) sans petit déj.

Smart Camden Inn (D** C2)
→ *55-57 Bayham St*
Tél. 020 7388 8900
smarthostels.com
Point de ralliement des oiseaux de nuit, des chineurs et des *backpackers*, cette auberge très bien équipée offre

Vivre à l'heure de Londres !

10 bonnes idées pour découvrir Londres autrement !

Monter dans un *black cab* et un bus à impériale

Que serait Londres sans ses taxis noirs et ses bus rouges ? Spacieux et désuets, les fameux *cabs* affrontent le trafic en toute sérénité, offrant aux passagers le confort d'un carrosse. Quant aux bus à étage, ils permettent de voir la ville de haut !
→ *Emprunter un taxi pour un trajet sur The Mall* (**A** B2-C1)

S'habiller vintage

En matière de mode, le Londonien ose, et aime notamment porter des grandes marques de seconde main. Les puces, braderies et magasins vintage abondent, notamment sur Brick Lane (**J** B2-B3), les meilleures affaires restant les *charity shops* : dans ces associations humanitaires, des articles quasi neufs s'acquièrent pour une bouchée de pain. On traverserait la Manche rien que pour ces vraies boutiques haut de gamme !
→ *British Red Cross Shop* (**G** C3)

Manger indien

Très présentes à Londres, les communautés du sous-continent indien y ont développé leurs cuisines, plus savoureuses que nulle part ailleurs. Au cœur de "Banglatown", le nom de Brick Lane (**J** B2) évoque d'emblée les nombreuses *curry houses*. Un peu partout sinon, de fins restaurants servent des mets aussi variés qu'insoupçonnés !
→ *www.masalazone.com : une excellente chaîne*

Se délasser au parc

Pour se mettre au vert, nul besoin d'aller loin : les parcs urbains ressemblent à de vraies campagnes ! Pelouses à perte de vue, recoins arborés et lacs sans fin invitent à lézarder dans un transat ou à faire de l'exercice : jogging, vélo, pédalo, canoë, tennis, golf... Ne pas se laisser surprendre par la pluie !
→ *À faire : un jogging dans Hyde Park* (**E** B6) ; *voir un spectacle entre mai et sep. à l'Open Air Theatre de Regent's Park* (**E** C1)

Aller au pub à la sortie des bureaux

Taverne obscure ou maisonnette fleurie, le pub, toujours convivial, atteint son pic d'affluence vers 18h, quand les citadins se retrouvent autour d'une pinte. La foule déborde jusque dans la rue et les parcs, où chacun garde son verre à la main.
→ *The Blackfriar* (**C** B6)

Écumer les *street markets*

Londres regorge de marchés alimentaires où savourer sur le pouce de délicieuses spécialités des

HYDE PARK

MANGER INDIEN

BUS À IMPÉRIALE / LIGNE 15

AU PUB

cinq continents et faire le plein de produits frais ou fins : le week-end au très *hype* Broadway Market (**J** B1) et certains autres jours à Exmouth Market (**C** A4) ou à Borough Market (**I** C2). Pittoresques, le Smithfield Market (**C** B5), marché à la viande, et le marché aux poissons de Billingsate (**J** F4).
→ *Arriver tôt !*

Prendre un *afternoon tea*
Rite victorien, le *tea* de l'après-midi peut atteindre le plus grand raffinement. Certains palaces et salons de thé, rétro ou *hype*, le servent dans les règles de l'art : porcelaine fine, thé de première qualité, scones à la crème et triangles au concombre... *Dress code* dans les endroits chics.
→ *The Ritz (**A** A1), Sketch (**B** A4), The Orangery (**F** D3)*

Aller au spectacle
Une tradition depuis Élisabeth 1re (1558-1603), époque où l'art scénique se développa dans la cité. En témoigne le Globe (**I** B1), sur New Globe Walk, authentique copie du théâtre en bois de Shakespeare. Dans le West End (**B**), rival de Broadway, la comédie et le music-hall règnent sur le Strand, Piccadilly Circus, Leicester Square et Soho, formant le célèbre "Theatreland". Tandis que chaque été, la prestigieuse rotonde du Royal Albert Hall (**G** B1) accueille les BBC Proms, un merveilleux cycle de "concerts-promenades" à bas tarifs, dont nul ne manquerait la dernière nuit, *The Last Night* !
→ *Billets jusqu'à 50 % au guichet TKTS (**B** C4) Leicester Sq. Lun.-sam. 10h-19h, dim. 11h-16h30*

Se promener sur Queen's Walk
Une merveilleuse façon d'aborder la Tamise à pied. Suivre la promenade de la Reine, aménagée sur les quais entre South Bank (**H**) et Southwark (**I**). Cette rive droite jadis ingrate égrène de prestigieuses institutions culturelles. Avec la grandiose rive gauche en toile de fond, on y croise aussi le London Eye (**H** B3). Pour une balade sur l'eau, un bateau-mouche glisse de Westminster (**A**) à Greenwich (hors plan **J** F4).

Clubber jusqu'à l'aube
Du night-club géant au bar dansant, design ou *trash*, du rock effréné au concert de jazz, Londres est une capitale de la nuit ! Si Soho (**B**) reste l'épicentre de la vie nocturne, les tendances penchent plus que jamais vers l'East End : Islington (**C**), Hoxton, Shoreditch (dit "Sosho") (**J**)... C'est l'occasion de découvrir tous les soirs une scène musicale phénoménale et éclectique, tout en s'inventant une tenue de soirée délirante...
→ *Faire un tour au Fabric (**C** B5), un club mythique !*

S'HABILLER VINTAGE

BOROUGH MARKET

... ET MÊME SOUS LA PLUIE !

Musées
Le meilleur moment pour visiter les musées nationaux, et en plus ils sont gratuits !

Marchés couverts
Shopping au sec dans les halles du xixe s.
Covent Garden (**B** D4), Old Spitalfields Market (**J** A3)

Salons de thé
Intérieurs cosy pour se mettre à l'abri !
Maison Bertaux (**B** C3), Sketch (**B** A4)

Piscine en plein air
London Fields Lido (hors plan **J** B1)
→ *London Fields West Side Overground London Fields Tél. 020 7254 9038*

Tlj. 6h30-21h
On nage même sous la pluie dans cette piscine chauffée à ciel ouvert !

Bowling ou ping-pong ?
All Stars Lanes (**B** D2)
→ *Bloomsbury Pl. Tél. 020 7025 2676*
En plein centre, un bowling rétro.
Bounce (**C** D3)
→ *241 Old St Tél. 020 3657 6525*
Des tables de ping-pong, un bar à cocktails et un restaurant !

Cinéma
Blockbuster ou film indépendant dans les fauteuils moelleux de l'Electric Cinema (**F** B2).

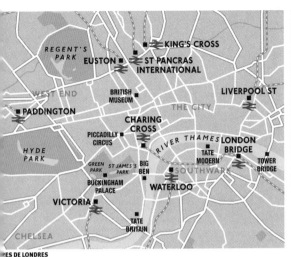

...ES DE LONDRES

...nodernes dans
...e ancienne maison
...rgienne. Agréable jardin
...space bar. 140-170£.
...undary (J A2)
...-4 Boundary St
...020 7729 1051
...w.theboundary.co.uk
...s l'East End qui bouge,
...*boutique hotel* signé
...ence Conran dédié
...architecture moderne :
...es chambres portent le
...n de Le Corbusier, Mies
...a der Rohe ou Bauhaus !
...rdc, une épicerie fine,
...sur le toit, une terrasse
...verte ouvrant à 360°
...le Londres du XXIe s.
...t déj. 14£. 150-220£,
...te 310-600£.
...e Hospital Club
...D3)
...24 Endell St
...020 7170 9100
...w.thehospitalclub.com
...club privé, accueillant
...aces de coworking
...entre artistique pour
...communautés créatives

(musique, numérique,
publicité, etc.), se double
d'un *boutique hotel* ouvert
à tous : chaque chambre
est ornée par un artiste. On
ne peut plus *arty* ! 150-370£.
Gir Lion Lodge (E C1)
→ *London Zoo Regent's Park
Outer Circle Tél. 020 7722 3333
Mai-sep. www.zsl.org*
En plein cœur du zoo,
un hôtel (protégé) sur
le terrain des lions ! Dans
ces neuf cabanes en bois
colorées et confortables,
munies de vérandas
exotiques, on s'endort
au son des rugissements !
378-558£ (avec petit déj.,
dîner et visite du zoo).

PALACES

Pour *afternoon tea* dans
la pure tradition anglaise !
**St Pancras
Renaissance Hotel
(D** E3)
→ *St Pancras Station, Euston
Road Tél. 020 7841 3540*

www.marriott.com
Débauche de luxe à
apprécier en débarquant de
l'Eurostar : 245 chambres et
suites derrière la splendide
façade de la gare St Pancras
(1873). Le must : la suite
royale, ancienne salle de bal
vénitienne. Thé 45-55£
(au champagne). 270-300£.
The Ritz (A A1)
→ *150 Piccadilly
Tél. 020 7300 2222*
www.theritzlondon.com
Palace construit en 1906,
aux intérieurs décorés dans
le style Louis XVI. Petit déj.
29-52£. Thé 52-79£
(au champagne).
Chambres à partir de 400£.
Claridge's (E D4)
→ *49 Brook St
Tél. 020 7629 8860*
www.claridges.co.uk
Né en 1812, un "pied-à-
terre" apprécié de la famille
royale et des stars
de cinéma. Thé 58-78£
(au champagne). Petit déj.
28-40£. À partir de 480£.

TRANSPORTS EN COMMUN

Informations 24h/24
→ *https://tfl.gov.uk*
9 zones. Zones 1-2 :
centre de Londres.
Métro
Métro (*Tube*)
→ *Lun.-sam. 5h30-0h30,
dim. 7h-23h30 Certaines
lignes ven.-sam. 24h/24*
11 lignes.
**Docklands Light
Railway (DLR)**
→ *Lun.-sam. 5h30-0h30,
dim. 7h-23h30*
Ligne aérienne.
Train de banlieue
Overground
→ *Tlj. 5h50-0h30 selon
lignes, réduits le dim.*
Bus
→ *Tlj. 5h-0h*
Vérifier la destination
sur le fronton.
**Bus de nuit
(Night Buses)**
→ *Jusqu'à 5h pour certains*
La plupart passent par
Trafalgar Square.
Tarifs
Métro
→ *À l'unité (zones 1-2) :*
4,90£
→ *Avec Oyster Card (zones
1-2) : 2,40-2,90£ par trajet,
selon l'h Plafond 1 j. : 6,50£*
Bus
→ *À l'unité : 2,40£
(pas de vente à bord)*
→ *Avec Oyster Card : 1,50£
Bus Pass 1 j. : 5£*
Oyster Card
→ *5£ de caution Achat
sur place ou sur Internet*
Carte métro et bus
rechargeable.
London Travelcard
→ *Guichets, distributeurs
1 j. : 12£ ; 7 j. : 32,10£
(zones 1-2)*
Bus, métro, trains.
Enfants de - de 11 ans
→ *Transports gratuits*

TAXIS

Black cabs
Si le voyant sur le toit est orange, le taxi est libre. Indiquer sa destination avant de monter.
→ Prise en charge 2,60£ puis 5,80-9£ le 1er mile

Dial a Cab
→ Tél. 020 7253 5000 / 020 7426 3420 www.dialacab.co.uk
Paiement par carte de crédit

Mini Cabs
24h/24 par tél. ; tarifs négociables. Moins chers que les Black Cabs. Attention : appeler une compagnie légale.

Addison Lee
→ Tél. 020 7407 9000 www.addisonlee.com

TAXIS / BLACK CABS

UNDERGROUND

GARES

Charing Cross (A D1)
→ Canterbury, sud-est
Euston (D D3)
→ Glasgow, nord-ouest
St Pancras International / King's Cross (E E3)
→ Édimbourg, nord-est
Liverpool St (C D5)
→ Nord-est de Londres
Paddington (F F1)
→ Cardiff, ouest
Victoria (A A4)
→ Brighton, sud
Waterloo (H C3)
→ Douvres, sud, sud-ouest
London Bridge (I D1)
→ Sud
Rens./Rés.
→ Tél. 03457 484 950 www.nationalrail.co.uk

Better Way to Stay
(hors plan **F** A4)
→ 31 Rowan Road M° Hammersmith
Tél. 020 8748 0930 www.abetterwaytostay.co.uk
Deux studios et 2 chambres qui valent la peine de s'excentrer légèrement. Calme, confort et bon goût, pour se sentir comme chez soi. 90-130£ (2 nuits minimum, ou 20£ supp.).

DE 100£

La Gaffe (hors plan **D** A1)
→ 107-111 Heath St M° Hampstead Tél. 020 7435 8965 www.lagaffe.co.uk
Au cœur du "village" de Hampstead, un B & B très confortable tenu de longue date par une famille italienne. Patio, terrasse, tv, sdb dans toutes les chambres. 100-129£.

Luna Simone Hotel (A** B5)
→ 47-49 Belgrave Road
Tél. 020 7834 5897 www.lunasimonehotel.com
Un hôtel familial plein de fraîcheur. Personnel dynamique et 36 chambres spacieuses aux tons pastel. 100-150£.

The Mad Hatter (H** D2)
→ 3-7 Stamford St
Tél. 020 7401 9222 www.madhatterhotel.co.uk
30 chambres douillettes, décorées de gravures champêtres, au-dessus d'un pub. Celles sur la rue sont assez bruyantes. Ascenseur. 100-170£.

The Hoxton Hotel (J** A2)
→ 81 Great Eastern St
Tél. 020 7550 1000 thehoxton.com
En plein Shoreditch, un hôtel à l'image du quartier, décontracté et branché. 220 chambres claires et contemporaines, un restaurant-cocktail bar ouvert jusqu'à 2h du matin. Le système de réservation anticipée permet de bénéficier de tarifs incroyables ! Autre adresse : 199-206 High Holborn (**B** D3). 100 (plus d'un mois à l'avance)-329£.

Georgian House Hotel (A** A5)
→ 35-39 St George's Drive
Tél. 020 7834 1438 www.georgianhousehotel.co.uk
Installé dans trois demeures du XIXe s., à 3 min de Victoria Station, ce coquet B & B propose des petits nids élégants, et deux chambres de magicien (Wizard) : esprit gothique, lits à baldaquin, lumières tamisées... 105-160£ (Wizard 269£).

Amsterdam
(hors plan **G** A2)
→ 7 Trebovir Road M° Earl's Court Tél. 020 7370 5084 www.amsterdam-hotel.com
Au-delà de South Kensington, un bel hôtel où règne la sérénité. Certaines chambres donnent sur le jardin ombragé. 120-190£.

Harlingford (B** C1)
→ 61-63 Cartwright Gardens
Tél. 020 7387 1551 www.harlingfordhotel.com
Dans une maison georgienne relookée, 43 chambres au mobilier en bois blond, pour un prix raisonnable. Lumineuse salle de petit déj. 124-170£.

Hampstead Village Guesthouse
(hors plan **D** A1)
→ 2 Kemplay Road
Tél. 020 7435 8679 www.hampsteadguesthouse.com
Cette demeure du XIXe s., environnée de maisons à jardinets fleuris, enchante avec ses rayons de livres, ses meubles chinés et ses 9 chambres de caractère. Petit déj. 10£. 105 (sans sdb)-125£. Aussi, un studio de 1-5 pers. 125-200£.

Arosfa Hotel (B** B2)
→ 83 Gower St
Tél. 020 7636 2115 www.arosfalondon.com
16 chambres cosy

Les échappées

GREENWICH

KEW GARDENS

À 1 heure de la capitale, balades et bonnes adresses !

Greenwich
→ M° Cutty Sark
ou Greenwich (DLR)
visitgreenwich.org.uk Royal
Observatory Tlj. 10h-17h
On peut passer la journée
entière dans ce charmant
quartier à une encablure
de la City : vaste parc
en hauteur jalonné
de musées, traversé
par le célèbre méridien
matérialisé au
Royal Observatory.
Pavilion Café
→ Greenwich Park,
Blackheath Ave
Tél. 020 8853 4777 Avr., oct. :
tlj. 9h-17h ; mai-sep. : tlj. 9h-
18h ; nov.-mars : tlj. 9h-16h
Sur les hauteurs du parc,
un petit pavillon pour
une halte gourmande.
En-cas 6£.

Kew Gardens
→ Kew Road, Richmond
M° Kew Gardens
Tél. 020 8332 3200
10h-18h30 (19h30 w.-e.) ;
sep.-oct. : tlj. 10h-18h ; nov.-
mars : tlj. 10h-16h15 Palace
Avr.-sep. : tlj. 10h-17h30
Le prince Frédéric
de Galles (1707-1751)
jeta les fondations de
ce parc botanique royal.
Sur 121 ha (les jardiniers
s'y déplacent à vélo !),
plus de 30 000 variétés
végétales de tous
les climats et, parmi
les curiosités, une
pagode chinoise (1762)
et l'adorable Kew Palace
(1631), palais royal
de style hollandais,
que l'on peut visiter.

The Cricketers
→ 79 Kew Green
Tél. 020 8940 2078
Tlj. 12h-23h (22h30 dim.)
De sa terrasse, ce pub
offre une loge sur les
parties de cricket ! Plat 15£.

Richmond
→ M° Richmond
Cette banlieue chic et
animée ronronne au bord
de la Tamise, où l'on flâne
d'un pont à l'autre.
Marcher vers le sud en
passant par les ravissants
Terrace Gardens jusqu'au
vaste Richmond Park,
ancienne chasse royale,
peuplée de cerfs ! Pour
revenir au métro : bus 371.
Hollyhock Café
→ Terrace Gardens (entre le
centre-ville et Richmond
Park) Tél. 020 8948 8285
Tlj. 8h-18h30 (20h w.-e.)
Au milieu de la verdure,
on déjeune sous une

tonnelle d'une cuisine
maison et bio. Plat 4-6£.

Hampton Court Palace
→ Hampton À 35min en train
de Waterloo Station
Tél. 020 3166 6000
Avr.-oct. : tlj. 10h-18h ;
nov.-mars : tlj. 10h-16h30
Bâti vers 1514, agrandi par
Henri VIII jusqu'en 1540,
puis remanié jusqu'au
XVIIIe s., ce palais fut
le grand favori des
souverains ! À l'intérieur,
une suite d'appartements
aux décors Renaissance
et baroques, la
somptueuse chapelle
royale et les cuisines
Tudor du XVIe s. Labyrinth
dans les jardins.
Tiltyard Café
→ Dans les jardins
Tél. 020 3166 6971
Avr.-oct. : tlj. 10h-18h ;
nov.-mars : tlj. 10h-17h
Sandwichs et plats

Map labels:
Warner Bros. Studio Tour (Harry Potter) · HAMPSTEAD HEATH · HAMPSTEAD · ISLINGTON · STRATFORD · HACKNEY · CAMDEN · WEST HAM · EALING · KENSINGTON · CITY · RIVER THAMES · London · ISLE OF DOGS · Windsor Castle · CHELSEA · Kew Gardens · CHISWICK · Greenwich · RIVER THAMES · PUTNEY · BRIXTON · Richmond · Dulwich Picture Gallery · Eltham Palace · KINGSTON UPON THAMES · Hampton Court Palace

RICHMOND

LES ÉCHAPPÉES

0   5 km

chauds dans cet espace aéré. On peut faire provision pour aller pique-niquer dans les jardins ! Plat 5-12£.

Windsor Castle
→ À 55 min en train de Waterloo Station Arrêt Windsor & Eton Central
Tél. 020 7766 7304
Mars-oct. : tlj. 9h45-17h15 ; nov.-fév. : tlj. 9h45-16h15
Dominant la Tamise, le plus ancien château royal (1070) recèle un millier de pièces ! Dans ses salles éblouissantes, les toiles de Holbein, Rubens ou Van Dyck, les sculptures de Gibbons, des meubles de Boulle, et un jouet inouï : la maison de poupées de la reine Mary (1924).
The Tower Brasserie
→ The Harte and Garter Hotel & Spa 31 High St,

Windsor Tél. 0330 390 0494
Lun.-ven. 11h-22h30,
w.-e. 8h-23h
Au pied du château, une brasserie fine : goujons frits, curry, gibier, et *high tea* ! Plat 13£.

Warner Bros. Studio Tour (Harry Potter)
→ Leavesden À 20 min en train de Euston Station Arrêt Watford Junction
Tél. 0845 0840 900 *Visite guidée* Tlj. 10h-18h (selon saison) Durée 3h30 Sur rés.
www.wbstudiotour.co.uk
C'est dans ces décors qu'ont été réalisés les huit films de Harry Potter, entre 2001 et 2011 !
On y découvre l'école de Poudlard en vrai... Et les secrets de tournage !
Studio Café / Café des décors extérieurs
→ Tél. 0845 0840 900
Tlj. 10h-18h30 (selon saison)

Les deux café' du Studio, très pratiques. Déguster une "bièreaubeurre" bien mousseuse au Café des décors extérieurs, situé à mi-parcours de la visite du studio.

Dulwich Picture Gallery
→ Gallery Road Dulwich Village À 15 min en train de Victoria Station Arrêt West Dulwich Tél. 020 8693 5254
Mar.-dim. 10h-17h
Visite guidée Sam.-dim. 15h
Les plans du doyen des musées anglais furent confiés à John Soane, expert en lumière naturelle. Sublime collection de toiles de maîtres du XVIe au XVIIIe s. : Véronèse, Poussin, Rembrandt, Hogarth...
Gail's Artisan Bakery
→ 91 Dulwich Village
Tél. 020 8693 1787 Lun.-ven.

7h-20h, w.-e. 8h-19h
Les feuilletés, tartines salées ou salades de blé de cette boulangerie-café constituent de succulents lunchs ! En-cas 5-9£.

Eltham Palace
→ Court Yard, Eltham À 25 min en train de Charing Cross Arrêt Mottingham
Tél. 020 8294 2548
Horaires sur www.english-heritage.org.uk
Dans les années 1930, les Courtauld, couple glamour, transformèrent cette résidence royale du XIVe s. en un chef-d'œuvre Art déco raffiné et moderne (téléphone, chauffage par le sol, etc.). Délicieux jardin japonais.
Café Eltham Palace
→ Tél. 020 8294 2548
Sous une jolie serre : soupes, saucisse-purée et puddings. Plat 4-15£.

Transports a Londres

Bakerloo
Central
Circle
District
Hammersmith & City
Jubilee
Metropolitan
Northern
Piccadilly

Victoria
Waterloo & City
DLR
Emirates Air Line
cable car
(Special fares apply)
London Overground
TfL Rail
London Trams
District
open at weekends and
on some public holidays

○ Interchange stations
Ⓢ Step-free access from street to train
Ⓢ Step-free access from street to platform
⇌ National Rail
✈ Airport
⇌ Riverboat services
Victoria Coach Station
Emirates Air Line cable car

London Overground ▭▭▭ **Gospel Oak to Barking** No service until February 2017.
Check online for rail replacement bus information.

TfL Rail ▭▭▭ **Brentwood to Shenfield** No service from early January
until late May 2017.
Check online for rail replacement bus information.

† Services for these stations are subject to variation. Please search 'TfL stations' for full details.

MAYOR OF LONDON

🌐 tfl.gov.uk

ℹ️ 24 hour travel information
0343 222 1234*

*Service and network charges may apply. See tfl.gov.uk/terms for details.

© Transport for London   Reg. user No. 16/3108/P   Improvement works m

UNDERGROUND

TRANSPORT FOR LONDON

EVERY JOURNEY MATTERS

Les noms de rues et de lieux de visite, classés par ordre alphabétique, sont suivis d'un carroyage, dont la lettre en gras **A, B, C**... indique le quartier et la carte correspondante. L'étoile ✪ renvoie à la page "Les incontournables" en début d'ouvrage.